D1407844

Processus éprouvé — en quatre étapes — à
l'intention des femmes qui se font du souci

Denise Marek

Traduit de l'anglais
par Sylvie Fortier

Syntonisez Radio Hay House à www.hayhouseradio.com.

L'auteure de ce livre ne dispense pas d'avis médicaux, pas plus qu'elle ne prescrit l'utilisation d'une quelconque technique pour traiter des problèmes physiques, affectifs ou médicaux, sans avis médical direct ou
indirect. Son seul but est de proposer des informations d'ordre général qui pourront vous aider dans votre
quête de bien-être émotionnel et spirituel. L'auteure et l'éditeur déclinent toute responsabilité quant à vos
actions, dans le cas où vous choisiriez d'utiliser pour vous-même les renseignements contenus dans ce livre,
décision qui relève de vos droits constitutionnels.

Éditeur : François Doucet
Traduction : Sylvie Fortier
Révision linguistique : Micheline Forget
Correction d'épreuves : Nancy Coulombe, Isabelle Veillette
Design de la couverture : Amy Rose Grigoriou
Montage de la couverture : Matthieu Fortin
Mise en page : Matthieu Fortin
ISBN 978-2-89565-660-9
Première impression : 2008
Dépôt légal : 2008
Bibliothèque et Archives nationales du Québec
Bibliothèque Nationale du Canada

Éditions AdA Inc.
1385, boul. Lionel-Boulet
Varennes, Québec, Canada, J3X 1P7
Téléphone : 450-929-0296
Télécopieur : 450-929-0220
www.ada-inc.com
info@ada-inc.com

Diffusion
Canada :   Éditions AdA Inc.
France :   D.G. Diffusion
                Z.I. des Bogues
                31750 Escalquens
                Cedex France
                Téléphone : 05.61.00.09.99
Suisse :   Transat - 23.42.77.40
Belgique :   D.G. Diffusion - 05.61.00.09.99

Imprimé au Canada

Participation de la SODEC.
Nous reconnaissons l'aide financière du gouvernement du Canada par l'entremise du Programme
d'aide au développement de l'industrie de l'édition (PADIÉ) pour nos activités d'édition.
Gouvernement du Québec - Programme de crédit d'impôt pour l'édition de livres - Gestion SODEC.

**Catalogage avant publication de Bibliothèque et Archives nationales du Québec et Bibliothèque et
Archives Canada**

Marek, Denise, 1969-

C.A.L.M. : processus éprouvé en quatre étapes à l'intention des femmes qui se font du souci

Traduction de: C.a.l.m..

ISBN 978-2-89565-660-9

1. Inquiétude. 2. Réalisation de soi chez la femme. 3. Tranquillité d'esprit. I. Titre.

BF575.W8M3714 2008   152.4'6   C2007-942489-9

Table des matières

TROISIÈME CHAPITRE :
LÂCHEZ PRISE SUR CE QUI ÉCHAPPE
À VOTRE CONTRÔLE

QUATRIÈME CHAPITRE :
MAÎTRISEZ VOS PENSÉES

CINQUIÈME CHAPITRE :
INTÉGREZ LE TOUT

AVANT-PROPOS

Quand le manuscrit de Denise Marek a atterri sur mon bureau, je l'ai mis de côté pour quelques jours, étant donné que j'avais déjà trop de choses en tête… *trop de soucis*… pour me concentrer sur sa lecture. Je n'avais jamais pensé être une femme anxieuse. Le manuscrit est resté à côté de moi, m'enjoignant de le lire sans toutefois me bousculer.

Finalement, au bout d'une semaine d'insomnie et d'énergie gaspillée, jetant par hasard un coup d'œil sur mon bureau, j'ai vu le titre simple et apaisant du manuscrit de Denise. J'ai tout de suite été interpellée : *C.A.L.M., Crystal, du calme…* Quelques pages ont suffi : j'étais captivée. J'ai noté les acronymes savoureux (par exemple ACOP, une bouée de sauvetage formidable pour la femme affamée, crevée, en période d'ovulation ou perturbée) ; j'ai ri aux éclats en lisant les anecdotes tirées de la vie de l'auteure et j'ai pensé que bon nombre de mes clientes tireraient avantage de ces conseils d'experte.

De temps à autre un livre passe, qui clarifie les complexités de la vie avec aisance et logique, à l'aide d'anecdotes pertinentes, racontées du ton doux et ferme de l'amie de longue date. Ce livre, c'est *C.A.L.M.*, et Denise Marek maîtrise l'art de simplifier ce qui nous submerge. Grâce à son processus en quatre étapes, vous apprendrez à coup sûr comment vous détendre, lâcher prise, et laisser le mystère et la magie de l'inconnu se métamorphoser en possibilités stimulantes. Qui que vous soyez, ce processus transformera indubitablement votre inquiétude en confiance : c'est aussi simple que cela.

— **Crystal Andrus**
Auteure de *Simply… Woman!*
et de *Transcendent Beauty*

Introduction

VOUS <u>POUVEZ</u> CESSER
DE VOUS FAIRE DU SOUCI

Peu importe à quel point vous vous êtes inquiétée ou combien vous vous inquiétez actuellement, sachez que vous *pouvez* vous libérer de cette émotion. Je le sais, j'y suis arrivée. Avant, j'étais perpétuellement inquiète. Je me faisais du mauvais sang à propos de mon poids et de mon apparence, au sujet de mon travail et de l'argent, à l'idée de faire des erreurs et d'être seule. Est-ce que j'étais suffisamment bonne, sympathique et agréable ? Quelle que soit la raison, j'angoissais.

Le plus bizarre, c'est que je croyais mon inquiétude bénéfique, et aujourd'hui, avec le recul, je comprends à quel point elle « m'aidait ». Grâce au souci excessif que je portais à mon poids et à mon apparence — et au déni continuel de mes émotions parce que je me préoccupais beaucoup trop de l'opinion d'autrui —, je suis devenue boulimique. Mon angoisse face à la solitude m'a incitée à m'accrocher à des relations malsaines. Obsédée par le souci d'être suffisamment bonne, sympathique et agréable, je ne me suis pas affirmée, je n'ai pas fait connaître mes besoins et je n'ai pas agi en fonction de ce qui me convenait le mieux. Mon insécurité quant à l'argent a contribué à me rendre insomniaque, à m'angoisser devant les factures à payer et à me tenir quotidiennement enchaînée à un emploi que je n'aimais pas. C'est la vérité : m'inquiéter m'a beaucoup aidée… à me sentir effrayée, malheureuse, frustrée, et surtout anxieuse.

Et pourtant, me voici aujourd'hui : confiante ! Je suis calme, satisfaite et remplie de joie. Si j'y suis parvenue, vous le pouvez vous aussi ! À la lecture de ce livre, vous découvrirez les stratégies qui m'ont *réellement* aidée. Si vous les appliquez, vous cesserez de vous faire du souci. C'est aussi simple que cela. Je ne suis pas médecin : je ne vous donnerai donc aucun avis médical. Mais comme j'ai moi-même vécu dans un état d'anxiété chronique, je comprends très bien la souffrance qui l'accompagne. Je vais vous dévoiler ce qui m'a permis de me défaire de mes angoisses, de retrouver ma sérénité et ma passion pour l'existence — et ce qui a permis à des milliers de participantes à mes séminaires de faire de même.

Grâce à ce livre, vous apprendrez comment éliminer vos inquiétudes, comment vous libérer de vos croyances limitatives et comment cultiver la sérénité. Cet ouvrage est basé sur mon séminaire *From Worrier to Warrior for Women*, présenté à travers l'Amérique du Nord depuis 1999. J'y enseigne un processus en quatre étapes, qui a pour but une vie sans angoisse. J'ai intitulé cette stratégie *C.A.L.M.*, pour :

C = Contestez vos hypothèses.

A = Agissez sur ce que vous pouvez contrôler.

L = Lâchez prise sur ce qui échappe à votre contrôle.

M = Maîtrisez vos pensées.

Suivant ce processus, le livre est divisé en cinq chapitres. Les quatre premiers présentent les quatre étapes du processus *C.A.L.M.*. Dans le premier chapitre, vous découvrirez que l'anxiété naît des hypothèses et qu'il existe des questions capitales pour les contester. Dans le chapitre suivant, vous apprendrez comment vous servir de votre angoisse comme d'un incitatif pour passer à l'action. Le troisième chapitre propose des stratégies novatrices et originales pour vous défaire de votre anxiété, ainsi que de vieux outils éprouvés, et rajeunis. Le quatrième décrit différentes techniques pour maîtriser ses pensées. Vous y apprendrez comment transformer vos pensées anxieuses en pensées confiantes ; ce faisant, vous accroîtrez votre assurance et votre confiance en vous et vous vaincrez vos inquiétudes.

Le cinquième chapitre amalgame l'ensemble des éléments. C'est aussi dans ce chapitre que vous trouverez les fiches de suivi des étapes. Ce sont vos modèles personnels pour une vie sans angoisse : servez-vous-en au besoin pour affronter les défis — petits et grands — de l'existence, l'esprit serein et en paix.

En ouvrant ce livre, vous avez déjà entamé l'aventure qui vous mènera vers une vie sans angoisse : profitez bien du voyage !

Introduction

L'anxiété naît des hypothèses.

Il était onze heures et nous venions tout juste d'arriver à Orlando. Notre chambre d'hôtel n'étant libre que dans cinq heures, je demandai à ma fille Lindsay, alors âgée de douze ans, si elle voulait profiter de l'après-midi pour visiter le royaume magique de Disney. Elle me répondit : « Je ne veux pas y aller aujourd'hui ; j'ai un livre. »

J'avais peine à en croire mes oreilles : ma fille aimait mieux *lire* que visiter un parc à thème ! Débordante de fierté, je me tournai vers mon conjoint : « As-tu entendu ce que Lindsay vient de dire ? Elle ne veut pas visiter le royaume magique aujourd'hui parce qu'elle aime mieux lire. » Mais avant que je n'aie le temps de poursuivre sur ma lancée, Lindsay m'interrompit : « Non, maman. Je n'ai pas dit que je voulais *lire* ; j'ai juste dit que j'*avais un livre*. Je ne veux pas le traîner avec moi tout l'après-midi ! »

Lindsay et moi avons toutes deux tiré une leçon précieuse de ce quiproquo. Elle a découvert qu'un problème comporte souvent plusieurs solutions. (La nôtre a été de laisser le livre au concierge de l'hôtel pour l'après-midi.) J'ai pris conscience qu'il est facile de faire des suppositions et de sauter aux conclusions.

Beaucoup agissent de cette manière ; après tout, c'est en partie ainsi que nous saisissons le sens du monde qui nous entoure. Parfois, nos conclusions donnent lieu à des situations cocasses, comme ce fut le cas avec ma fille et son livre. Toutefois, il arrive qu'elles fassent naître une angoisse écrasante. Les hypothèses, celles qui bouleversent, émergent souvent sous forme de questions qui commencent par « et si ». Et si mes enfants faisaient de mauvais choix ? Et si je n'avais pas assez d'argent pour payer les factures ? Et si j'essayais et que j'échouais ? Et si la douleur indiquait une maladie potentiellement mortelle ? Et si ? Et si ? Et si ?

Chaque fois que vous répondez à ces questions terrifiantes par une supposition négative, vous ouvrez la porte à vos angoisses. Voilà pourquoi la première étape du processus C.A.L.M. est cruciale : *contestez vos hypothèses*.

J'avais dix-sept ans quand j'ai pris conscience de l'importance de cette étape. J'occupais alors un emploi de pompiste à temps partiel. Un jour, un client s'étant présenté, je me suis précipitée pour lui donner le service impeccable pour lequel mon patron m'avait formée. Pendant que le réservoir à essence se remplissait, j'ai vérifié le niveau d'huile et nettoyé le pare-brise. Ensuite, j'ai pris l'argent que me tendait le client avant de rentrer dans la station-service pour aller chercher la monnaie que je lui devais. En revenant, je lui ai fait un grand sourire et je lui ai dit : « Passez une excellente fin de semaine ! »

Et le client est parti... emportant le distributeur d'essence avec lui. J'avais oublié de retirer le pistolet du goulot du réservoir ! L'équipement s'est alors complètement effondré et il y avait du verre partout. Mon patron, qui venait d'assister à la scène de la fenêtre de son bureau, est sorti en trombe du garage en criant : « Denise, rentre chez toi ! »

Je suis partie, mais je ne suis pas rentrée chez moi : j'étais beaucoup trop embarrassée. J'ai erré à travers les rues pendant des heures, essayant de décider de quelle manière j'allais annoncer à ma famille et à mes amis que j'avais été congédiée de mon premier emploi. Bien entendu, j'ai fini par rentrer. Plus tard, ce jour-là, mon patron a téléphoné : « Denise, tu n'es pas congédiée. J'étais juste très en colère, alors je t'ai renvoyée chez toi parce que je ne voulais pas dire des choses que je regretterais ensuite. »

La morale de cette histoire ? D'abord, si vous avez peur de commettre une erreur, rappelez-vous que j'ai pratiquement démoli une station-service sans pourtant perdre mon emploi. Il est bon de se rappeler que le résultat de nos erreurs est rarement aussi épouvantable que nous l'imaginons. J'ai passé des heures à m'inquiéter, l'estomac noué, trop embarrassée pour rentrer à la maison… tout cela parce que je supposais que j'avais été congédiée. Regardons les choses en face : l'hypothèse était plus que probable ! Quoi qu'il en soit, elle était infondée et a provoqué en moi un bouleversement inutile.

Les hypothèses négatives suscitent des angoisses inutiles. Le secret de la sérénité consiste à remettre vos conclusions en question avant qu'elles ne vous entraînent jusque-là. Comment s'y prend-on ? Après tout, comment pourriez-vous vous défaire de vos hypothèses, puisque ce sont elles qui ont du sens pour vous ? Dans ce chapitre, je vous présente six questions « infirmatives » grâce auxquelles vous pourrez renverser vos hypothèses et retrouver votre calme.

À qui pouvez-vous en parler pour avoir un autre point de vue ?

Ce qui fait merveille pour calmer l'angoisse,
c'est d'envisager la situation autrement
en sollicitant le point de vue de quelqu'un d'autre.

Repensez à l'époque où vous étiez enfant. Vous rappelez-vous quels étaient vos rêves ? Fillette, je voulais absolument devenir comédienne ; aussi, quand j'ai eu la trentaine, j'ai finalement décidé de faire quelque chose en ce sens. J'ai envoyé des photos à quelques agents. Trois mois plus tard, je recevais un coup de fil : une agente acceptait de me représenter. J'étais surexcitée, mais je n'étais pas certaine d'avoir suffisamment de temps à consacrer à la poursuite de mon objectif. Insérer des auditions dans mon horaire surchargé représenterait pour le moins un défi ; néanmoins, je décidai de faire un essai.

Après cinq auditions, devinez où j'en étais ? J'avais rencontré des gens intéressants et appris à négocier les meilleurs trajets pour parcourir la ville ; par contre, en aucun cas, je n'avais été choisie pour le rôle. J'étais consciente que cinq misérables tentatives ne constituaient pas un nombre suffisant d'essais pour mesurer mon succès. Cependant, mon horaire était déjà serré et ces rendez-vous impromptus monopolisaient beaucoup de mon temps. Je me questionnais donc à savoir si je ne le gaspillais pas en pure perte.

J'en ai parlé à mon conjoint et sa réponse m'a ouvert les yeux. Il m'a dit : « Ce n'est pas une perte de temps. Tu auras perdu ton temps seulement si une fois que tu as trouvé une agente pour te représenter, tu laisses tomber après cinq auditions. » Il avait tout à fait raison ! J'ai été éton-née de constater à quel point ce tout petit changement de perspective renouvelait mon enthousiasme quant à l'atteinte de mon objectif.

Pour sortir du labyrinthe de ses incertitudes, il suffit parfois de parler à quelqu'un et d'obtenir un autre point de vue. Ce qui fait merveille pour calmer l'angoisse, résoudre un problème et faire émerger l'espoir, c'est d'envisager la situation autrement en demandant l'avis de quelqu'un d'autre. Par contre, soyez prudente : demander de l'aide comporte de nombreux avantages, mais l'entreprise peut s'avérer délicate.

En fait, ce n'est pas tant le *comment* qui rend l'entre-prise délicate : il est relativement facile de demander l'opi-nion de quelqu'un. On peut tout simplement présenter sa demande ainsi : « Voici la situation dans laquelle je me trouve et voici ce que j'en pense. Comment vois-tu les choses ? » Cette formulation sans détour ouvre les voies de la communication et met en branle le processus de réso-lution du problème.

Non, ce qui rend l'entreprise délicate, c'est de trouver *à qui* demander conseil. Vous devez faire preuve d'une grande sélectivité en prenant votre décision. Si vous met-tez la main dans une ruche pour y voler du miel, vous vous ferez probablement piquer ! Que vous choisissiez une amie, un collègue, un parent ou même une connaissance, voici ce que vous devriez savoir avant de procéder :

— **Recherchez un point de vue franc et réaliste.** Après tout, quand on veut l'opinion d'autrui, c'est qu'on souhaite amorcer une conversation constructive visant à élargir sa perspective et à cerner des pistes de solution. Ne vous tournez pas uniquement vers l'autre afin qu'il vous conforte dans vos idées : choisissez quelqu'un qui évaluera votre situation avec réalisme et franchise.

— **Attention aux « compagnes d'angoisse »** ! Ce sont les personnes de votre entourage qui se font autant — sinon plus — de souci que vous. Solliciter leur avis pourrait se retourner contre vous ! Étant donné leur habileté déstabilisante à évoquer des pièges improbables et des dangers invraisemblables auxquels vous n'aviez pas pensé, leurs commentaires pourraient intensifier le maelström de vos incertitudes et de vos angoisses.

Nul besoin de rayer ces compagnes de votre vie. Elles peuvent vous fournir un certain soutien, mais si c'est ce que vous recherchez, assurez-vous de le demander *nommément*. Dites quelque chose comme : « Je veux seulement que tu me rassures et que tu me dises que tout ira bien. » L'encouragement d'une amie est un grand réconfort, mais vous souhaitez peut-être plus. Si vous avez besoin qu'on évalue honnêtement votre situation, envisagez de demander conseil à quelqu'un capable d'objectivité et moins inquiet que vous.

— **Évitez les personnes négatives.** Évitez de consulter ce type de personnalité. Une « force d'entraînement » négative pourra vous affecter au point de vous laisser encore plus confuse et frustrée qu'avant.

— **Choisissez une personne optimiste.** La meilleure personne sera celle qui conjugue une approche franche et réaliste et une bonne dose d'optimisme. Je ne parle pas de quelqu'un qui se répand en mensonges flatteurs ou en réconfort trompeur. Je veux dire quelqu'un qui, en toute circonstance, choisit de voir le bon côté des choses.

Le point de vue de quelqu'un d'autre vous aidera à cerner et à remettre en question vos hypothèses erronées. Une idée vous fournira le moyen de sortir de ce qui vous apparaît comme une impasse ; votre espoir refleurira grâce à une étincelle éclairant sous un jour nouveau une situation apparemment sans issue. Quand vous avez besoin d'aide pour résoudre un problème — même le dilemme d'un esprit inquiet —, parlez-en à quelqu'un et demandez-lui son avis.

Est-ce probable ?

Reformulez la question en faisant une probabilité d'une
possibilité et vous obtiendrez un meilleur point de vue.

Imaginons que vous êtes dans un aéroport : vous vous
préparez à monter dans un avion et à vivre les plus belles
vacances de votre vie. Vous avez mis des mois à planifier
votre voyage et vous en avez désespérément besoin. Vous
aimeriez ressentir de l'excitation ; or, vous vous surprenez
à dresser une liste exhaustive de « et si » :

- *Et si on égarait mes valises ?*

- *Et si un malheur arrivait à mes enfants pendant*
  mon absence ?

- *Et si l'avion s'écrasait ?*

Après avoir mentalement dressé votre liste, vous vous
questionnez : *Est-il <u>possible</u> que ces événements se produisent ?*
Bien entendu, la réponse est *oui*, c'est possible : tout peut
arriver. Voilà pourquoi, quelle que soit la situation, on fait
naître une anxiété écrasante quand on pense à tout ce qui
pourrait tourner mal. Tout à coup, vous remarquez que
vous n'avez plus du tout envie de partir. Vous cherchez
plutôt la sortie la plus proche !

Il y a une bonne nouvelle : vous pouvez retrouver votre
sérénité en modifiant la question de départ. Au lieu de vous
demander si une chose est <u>possible</u>, demandez-vous si elle est
<u>probable</u>. Autrement dit, demandez-vous : *Quelles sont les <u>pro-</u>*
<u>babilités</u> que ce qui m'inquiète se produise ? Vous aurez un

meilleur point de vue si vous modifiez légèrement le cœur de la question. Je me suis rendu compte qu'en prenant le temps d'évaluer la probabilité d'un événement, je réussissais à éliminer bon nombre de mes préoccupations. Essayez ceci :

Première étape : Écrivez ce qui pourrait se produire et qui vous inquiète.

Deuxième étape : Selon une échelle de 1 à 10, évaluez la probabilité que ce qui vous inquiète se produise *pour vrai*. (1 = moins probable ; 10 = plus probable.)

- **Vous avez une cote de 5 ou moins ?** C'est une excellente indication que ce qui vous inquiète ne se produira pas.
- **Vous avez une cote de 9 ou moins ?** Cela indique que 90 pour cent au moins de vos inquiétudes sont infondées. Même si vous estimez la probabilité aussi élevée que 9, il y a de bonnes chances pour que ce qui vous inquiète ne se produise pas.
- **Vous avez une cote de 10 ?** Si c'est le cas, ce qui vous inquiète se produira fort probablement. Il y a quand même de l'espoir : en appliquant les trois autres étapes du processus, vous apprendrez à lâcher prise sur la cause de votre angoisse — même quand vous lui donnez la cote maximale !

Donc, quand les « et si ? » envahissent votre esprit, souvenez-vous de modifier la question « est-ce *possible* ? » en « est-ce *probable* ? ». Vous pourrez ainsi parvenir à retrouver votre sérénité.

Êtes-vous affamée, crevée, en période d'ovulation ou perturbée (ACOP) ?

Le germe de l'inquiétude se développera le plus souvent dans le sol fertile de la faim, de la fatigue et des perturbations hormonales ou émotionnelles.

Savez-vous à quel moment vous risquez le plus de poser des hypothèses qui vous causeront du souci ? Quand vous êtes :

A = affamée

C = crevée

O = en période d'ovulation

P = perturbée

À ses débuts les plus « innocents », le germe de l'inquiétude se développera le plus souvent dans le sol fertile de la faim (*affamée*), de la fatigue (*crevée*), des perturbations hormonales (en période d'*ovulation*) ou émotionnelles (*perturbée*). Voilà pourquoi face à un sentiment d'anxiété, il est important de s'arrêter et de vérifier la présence de l'un ou l'autre de ces quatre « symptômes ». Si vous constatez que vous en présentez un ou plusieurs, il s'agit ensuite de prendre chaque coupable en charge en appliquant les suggestions suivantes :

— **Êtes-vous affamée ?** Vous n'avez pas besoin d'être au bord de l'inanition pour répondre par l'affirmative, bien que si vous suivez un régime très strict — comme bien des femmes le font —, *affamée* est probablement le terme qui convient le mieux à votre état. Même si vous n'avez que modérément faim, il se peut fort bien que vous posiez de fausses hypothèses quant aux facteurs de stress en cause. Pour rétablir une perspective plus juste, reconnaissez que la faim peut vous amener à poser des conclusions négatives. Remédiez à la situation en mangeant une bouchée — de préférence un aliment sain, de façon à ne pas ajouter la culpabilité à votre angoisse.

— **Êtes-vous crevée ?** « Crevée » est probablement un euphémisme : pour bien des femmes, *épuisée* conviendrait mieux. Petite fatigue ou épuisement total peuvent vous inciter à noircir la situation. Voici deux remèdes pour combattre la fatigue :

1.   Le premier, et le plus évident : **accordez-vous davantage d'heures de sommeil.** De combien d'heures de sommeil avez-vous besoin ? La réponse habituelle à cette question des plus courantes est entre six et huit heures. Néanmoins, d'après mon expérience, je constate que mon corps sait ce qui me convient le mieux. Quand vous vous réveillez fraîche et dispose, c'est généralement le signe que vous avez assez dormi.

     Je sais qu'on n'a pas toujours le loisir de dormir autant qu'on en aurait besoin. Que pouvez-vous pour combattre la fatigue si votre sommeil est fréquemment interrompu par un nourrisson ou de jeunes enfants, par des quarts de travail irréguliers ou par tout autre facteur qui pourrait nuire à vos heures de sommeil ?

2. **Buvez plus d'eau.** Vous avez bien lu. Ce conseil universel fonctionne même dans ce cas. Quand vous êtes déshydratée, même juste un peu, vous vous sentez lasse ou légèrement fatiguée. Plus votre organisme se déshydrate, plus vous ressentez de la fatigue. Cet état faussera votre jugement, ce qui vous portera à vous inquiéter davantage. Vous pourrez ainsi tomber dans un cercle vicieux. Si vous ressentez de la fatigue depuis un moment, pensez à boire plus d'eau. Toute la différence est là.

— **Êtes-vous en période d'ovulation ?** Où en êtes-vous dans votre cycle menstruel ? En période prémenstruelle ? Au beau milieu de vos règles ? Êtes-vous ménopausée ? En tant que femmes, nous savons pertinemment que nos hormones influencent dramatiquement nos émotions.

Si vous remarquez que vous faites des suppositions négatives, prenez du recul et vérifiez où vous en êtes dans votre cycle menstruel. Reconnaissez que ce facteur peut influer sur vos émotions et prenez conscience que vos hormones sont peut-être responsables de votre angoisse. La solution consiste à reconnaître la cause probable de vos pensées et de vos émotions, et ensuite, à détourner momentanément votre attention de vos inquiétudes. Je sais que la chose est plus facile à dire qu'à faire : aussi, pour vous aider à prendre du recul, je vous suggère d'essayer certaines des stratégies proposées dans le troisième chapitre.

— **Êtes-vous perturbée ?** Si c'est le cas, envisagez d'écrire ce que vous ressentez dans un journal. Le refoulement des émotions affecte la santé physique et émotionnelle. Une façon saine de se libérer de ses émotions consiste à exprimer ses frustrations par écrit. Cette stratégie m'a aidée à me calmer en de nombreuses occasions.

Ainsi, je revenais un jour en avion d'une visite chez des proches et j'étais absolument furieuse contre l'un d'eux. (Même si nous aimons les membres de notre famille, ils n'ont pas leur pareil pour nous faire sortir de nos gonds !) Arrachant une page blanche à la fin du volume que j'étais en train de lire, j'ai écrit toutes les pensées de colère qui me sont venues. En posant la plume sur le papier, j'étais certaine de couvrir les deux côtés de la feuille. Or, mon éclat a fait long feu au bout d'un paragraphe… pas plus ! Ce qui m'avait irritée se résumait à un court paragraphe. J'ai compris que je n'allais pas m'accrocher à ma colère pour un malheureux paragraphe et j'ai laissé tomber.

Si vous êtes perturbée, exprimez vos sentiments par écrit ; ensuite, déchirez votre texte et jetez-le. C'est une stratégie élémentaire, mais extrêmement efficace.

Donc, êtes-vous *affamée* (faim), *crevée* (fatiguée), en période d'*ovulation* (perturbation hormonale) ou *perturbée* (perturbation émotionnelle) ? Si vous présentez *un seul* de ces symptômes, reconnaissez qu'il peut vous pousser à noircir la situation, alors appliquez mes suggestions. Vous serez étonnée de constater qu'en suivant les étapes, vous arriverez à ne plus sauter à des conclusions malheureuses qui intensifieraient vos angoisses.

De quoi d'autre pourrait-il s'agir ?

*En vous en tenant à une explication positive,
vous pourrez cesser d'entretenir des pensées anxiogènes
qui augurent le pire.*

Pour lâcher prise sur vos angoisses, votre meilleure ligne de défense consiste à vous en tenir strictement aux *faits*. Cependant, les obtenir peut demander du temps. Entre la confirmation et votre première hypothèse négative, vous pourrez rapidement perdre le contrôle et sombrer dans l'anxiété.

L'appel téléphonique qu'on ne retourne pas en est un exemple classique. Rappelez-vous la fois où vous avez laissé un message à un client, une collègue, un ami ou un proche et qu'on ne vous a pas rappelée. Quelles hypothèses négatives avez-vous élaborées ? Avez-vous supposé que votre client ne voulait pas faire affaire avec vous, que votre collègue était fâchée, votre ami ou votre parent, malade ou blessé ?

Quand, enfin, vous avez parlé à la personne, avez-vous découvert que vos conclusions étaient fausses d'un bout à l'autre ? Tout simplement, que votre client était en voyage, votre collègue était prise par plusieurs réunions et votre ami ou parent n'avait pas eu votre message. Ne pas savoir ce qui se passe réellement peut faire naître bien des angoisses inutiles.

Quand je vivais dans un état d'anxiété chronique, j'admets que, dans bien des cas où je ne disposais pas de toutes les données, je choisissais de combler les lacunes par des idées perturbantes. Par exemple, je supposais le pire dès que ma fille tombait malade, que mon conjoint était en retard ou que ma patronne me regardait bizarrement en passant devant mon bureau. Je me torturais l'esprit avec des pensées défaitistes. En dépit du fait que mes scénarios catastrophiques se soient rarement produits, je laissais mon imagination battre la campagne et mes pensées affolées proliférer sans retenue.

La situation vous est familière ? Laissez-vous votre imagination s'emballer, vos hypothèses négatives s'amplifier jusqu'à faire sourdre en vous une angoisse paralysante ? Si c'est le cas, vous n'êtes pas seule. L'imagination débordante est l'une des caractéristiques communes aux anxieuses ! La bonne nouvelle, c'est que vous pouvez l'utiliser à votre profit en vous demandant : *Dans cette situation, y a-t-il autre chose de vrai ?* Évidemment, vous allez devoir poser d'autres hypothèses pour répondre à cette question. Mais cette fois, elles seront *positives*.

Ainsi, si vous craignez le pire devant le retard de l'être cher, demandez-vous : *De quoi d'autre pourrait-il s'agir ?* Peut-être qu'il y a des bouchons de circulation ou encore que la réunion s'est prolongée indûment ? Si votre patronne vous dit qu'elle veut vous rencontrer le lendemain et que cette perspective vous noue l'estomac, de quoi d'autre pourrait-il s'agir ? Elle veut peut-être un compte rendu rapide sur votre charge de travail ou les dates de vos vacances de l'an prochain.

Le secret consiste à penser à des explications positives *avant* que les fantasmes négatifs n'aient le temps d'envahir votre esprit. Si vous supposez régulièrement que tout ira pour le mieux, l'anxiété perdra son emprise sur vous. En prime, vous constaterez au bout du compte que vos théories positives s'avèrent plus souvent justes que vos hypothèses négatives.

Changer ses pensées de peur en pensées d'espoir : c'est une technique qui s'est révélée fort utile récemment, quand, en procédant à un auto-examen, j'ai découvert une bosse dans mon sein droit. Ma première réaction a été de sauter directement à la pire des conclusions : cancer du sein. Pour retrouver mon calme, j'ai pris rendez-vous avec mon médecin afin de voir ce qu'il en était. Entre-temps, pour contrôler mes réflexions anxiogènes, je me suis demandé : *De quoi d'autre pourrait-il s'agir ?*

Il s'agissait peut-être d'un kyste ou d'une masse bénigne. Selon la *National Breast Cancer Foundation*, huit masses sur dix sont bénignes, ce qui signifiait que j'avais quatre-vingt pour cent des chances que la tumeur ne soit pas cancéreuse. En me concentrant sur ces possibilités positives, j'ai recouvré mon calme, et l'attente du résultat de mes tests est devenue plus tolérable. Heureusement, le résultat était négatif. Et si cela n'avait pas été le cas ? Aurais-je été stupide de me concentrer sur les possibilités positives ? Pas du tout. Mon angoisse n'aurait pas contribué au résultat, pas plus qu'elle ne l'aurait changé.

Voici encore un facteur à considérer : si vous avez peur que le pire vous arrive et que c'est ce qui se produit, vous souffrirez deux fois. Si vous croyez que les résultats vous seront favorables et que le contraire se produit, vous n'aurez souffert qu'une fois ! Bien entendu, si vous croyez que tout finira par s'arranger et que c'est ce qui se produit, vous n'aurez pas souffert du tout.

La prochaine fois que vos pensées négatives menaceront de vous faire perdre le contrôle, souvenez-vous de recueillir les faits. Entre-temps, calmez votre esprit en remplaçant les données manquantes par des hypothèses positives. Demandez-vous : *De quoi d'autre pourrait-il s'agir ?* En modifiant votre mode de pensée, vous diminuerez considérablement votre anxiété, tout en accroissant votre sérénité.

Inquiétude ou intuition ?

*Suivez votre intuition ; vous serez étonnée de constater
tout ce que vous « savez ».*

En sortant de la salle de bain, j'ai remarqué le chandelier en verre (un de mes préférés) sur le rebord de la baignoire. J'ai ressenti quelque chose d'étrange au creux de l'estomac et pensé : *Je devrais le changer de place ; autrement, la femme de ménage va le briser.* Comme cette dernière n'avait jamais rien endommagé, l'idée était insensée, aussi l'ai-je écartée. Laissant le chandelier là où il était, j'ai quitté la maison pour me rendre au bureau.

Quand je suis rentrée en fin de journée, j'ai vu que la femme de ménage était venue et repartie, car une fraîche odeur citronnée flottait dans la maison. Déposant mon sac à main sur le comptoir de la cuisine, j'y ai trouvé une note disant : « Denise, je suis désolée : j'ai cassé le chandelier de la salle de bain. Je l'ai brisé accidentellement. »

Vous est-il déjà arrivé de « savoir » ce qui allait se produire avant que cela n'arrive ? Par exemple, vous est-il déjà arrivé de songer à une amie à qui vous n'aviez pas parlé depuis longtemps et de recevoir un coup de fil d'elle peu de temps après ? Avez-vous déjà agi de façon purement instinctive avant de vous rendre compte que vous aviez bien fait ?

Que vous nommiez cette expérience sixième sens ou sensation viscérale, il s'agit de votre intuition. Nous avons tous un système de guidage interne, une forme de connaissance instinctive étrangère au raisonnement conscient. Autrement dit, on « sait » sans comprendre consciemment pourquoi.

Si vous suivez votre intuition, vous prendrez vos décisions plus facilement, vous aurez davantage d'assurance quand il s'agira de saisir les opportunités et vous pourrez même assurer votre sécurité. C'est tout le contraire de l'anxiété qui inhibe presque totalement la prise de décision et empêche de tirer parti de l'inattendu. L'anxiété peut paralyser à force de peur. C'est pourquoi il est crucial que vous saisissiez la différence entre inquiétude et intuition.

Voici un exemple qui vous aidera à comprendre : imaginez qu'on vous offre une promotion. En l'acceptant, vous aurez un salaire plus élevé, mais la pression sera plus grande. Au début, vous êtes enthousiaste parce que vous désirez depuis longtemps ce qu'on vous offre maintenant. Vous avez jusqu'au lendemain pour accepter ou refuser.

Vous passez une nuit agitée, essayant de décider si vous pourrez supporter le stress ou non. Vous imaginez vos sentiments si vous acceptez le poste… et votre état s'il vous faut par la suite avouer à votre famille et à vos amies que vous avez été rétrogradée parce que vous étiez incapable de supporter la pression. Tout à coup, vous ressentez un mouvement de panique au creux de l'estomac et vous vous questionnez : *Est-ce mon intuition ? Cette sensation viscérale est-elle le signe que je devrais refuser la promotion ?*

Ce n'est pas votre intuition : c'est l'anxiété. Si vous suivez vos émotions et refusez la promotion, vous passerez à côté d'une opportunité susceptible d'enrichir votre vie. Alors que faire ? Comment être certaine que vous suivrez votre véritable Moi et non vos peurs ?

Pour faire la différence entre les deux, le plus facile consiste à étudier le facteur temps. Bien que l'intuition et l'inquiétude fassent toutes deux naître une sensation « inhabituelle » dans l'estomac, le plus important est *le moment* où vous la ressentez. Si elle vous vient *après* une série de *réflexions* — surtout si elles sont empreintes de peur —, vous vivez de l'anxiété et celle-ci naît de vos pensées. Par conséquent, si la sensation dans votre estomac se manifeste à la suite de vos réflexions, il s'agit d'une réponse organique exprimant de l'anxiété.

Si la sensation se manifeste *avant* la pensée — et parfois *en même temps* —, c'est une intuition et elle naît d'une *sensation*. Dans ce cas, l'information vous arrive de nulle part et vous vous rendez soudainement compte que vous « savez » quelque chose qui vous échappe consciemment. C'est très différent des chocs effroyables qui assaillent votre estomac sous le coup de l'inquiétude, car la douleur est absente et le calme remplace la peur. Quand vous avez une réaction semblable, sans lien avec le fil de vos pensées, c'est le signe que votre système d'orientation interne essaie de vous dire quelque chose.

Quand vous ressentez ce trouble particulier au creux de l'estomac, remettez-le en question avant d'agir. Demandez-vous : *Est-ce que j'ai d'abord ressenti la sensation ou est-elle venue à la suite de mes pensées anxieuses ?* La réponse vous permettra de savoir s'il s'agit d'un signe de votre intuition ou de vos angoisses. Une fois que vous aurez cessé de suivre vos inquiétudes pour écouter votre Moi, vous négocierez plus facilement les aléas de la vie et vous serez étonnée de constater tout ce que vous « savez ».

Qu'avez-vous peur de perdre ?

L'inquiétude cache la peur de perdre.

Je venais de terminer les cinq premières émissions d'une heure de la série télévisée que j'animais en direct et j'étais tourmentée à propos des erreurs que j'avais commises. L'anxiété ne m'avait pas tenue entre ses griffes depuis un bon moment et j'étais stupéfaite de voir à quel point mes quelques bourdes me pesaient. Tout le monde commet des erreurs et je crois fermement avoir le droit d'en faire aussi quelques-unes de temps à autre sans devoir me culpabiliser pour autant. Alors, pourquoi est-ce que je ruminais tout cela ?

C'est seulement en remettant mes hypothèses en question que j'ai pris conscience que je n'abordais pas le problème sous-jacent. Ce n'étaient pas mes erreurs qui faisaient grimper ma pression sanguine, c'était l'idée de ce que je pouvais perdre advenant une telle éventualité.

L'inquiétude cache la peur de perdre quelque chose : nos rêves, notre santé, nos biens, notre indépendance, nos relations, nos proches, la liberté, le respect, l'affection, le bonheur… la liste est interminable. Quand vous contestez vos hypothèses, assurez-vous que vous abordez bien le véritable problème en mettant le doigt sur ce que vous avez peur de perdre.

Prenez un moment pour le faire tout de suite. Notez par écrit ce qui vous cause du souci — votre poids, les enfants, l'argent, votre travail, le vieillissement, votre conjoint, vos relations, votre santé, ou tout autre sujet qui vous obnubile. Écrivez tout. Ensuite, répondez à la question suivante : *Qu'ai-je peur de perdre ?* Si vous vous inquiétez de votre poids, vous avez peut-être peur de tomber malade, d'enlaidir ou de perdre le contrôle de votre corps. Si vous vous faites du souci au sujet de l'argent, vous êtes peut-être terrifiée à l'idée qu'on menace vos biens, votre indépendance ou votre aisance. Continuez d'écrire tant que vous le pourrez : il est fort possible que vous ne touchiez pas tout de suite le fond du problème.

Dans mon cas, ma réponse initiale était que j'avais peur de perdre le respect des téléspectateurs. En creusant un peu plus loin, j'ai pris conscience que cette peur découlait de ma crainte de perdre mon poste d'animatrice. En allant encore un peu plus loin, j'ai conclu que mon anxiété provenait de ma terreur de perdre la chance qui m'était donnée de devenir animatrice au réseau national. Bingo ! Je n'avais pas peur de commettre des erreurs : j'étais terrifiée à l'idée de voir mourir mon rêve.

Qu'avez-vous peur de perdre ? Continuez de vous poser la question à chacune de vos réponses, jusqu'à ce que vous sentiez que vous avez mis le doigt sur ce qui vous perturbe vraiment. Une fois que vous aurez identifié le problème, vous serez en mesure de remettre vos hypothèses en question.

Après avoir cerné la cause de mon inquiétude, j'ai sorti la liste des questions « infirmatives » dont il a été question plus tôt dans ce chapitre. Afin de contester mes hypothèses, je me suis demandé : *À qui puis-je parler pour avoir un autre point de vue ?* Ayant demandé à la réalisatrice de commenter mon travail, j'ai eu l'esprit largement apaisé par ses paroles rassurantes.

Je me suis alors questionnée : *Suis-je affamée, crevée, en période d'ovulation ou perturbée ?* Oui, j'étais épuisée. Je devais faire face à un nombre inhabituellement élevé d'échéances que j'étais forcée de rencontrer ; ma fatigue me faisait probablement dramatiser la situation.

Ensuite, je me suis demandé : *De quoi d'autre pourrait-il s'agir ?* Mes erreurs venaient peut-être plus de l'apprentissage d'un nouveau métier que d'un manque de talent. Je devais faire preuve d'indulgence : après tout, je n'avais animé que cinq émissions. Oui, j'avais commis quelques erreurs, mais je savais qu'on apprend beaucoup plus de ses erreurs que de ses victoires. Il y a une différence entre faire une gaffe et échouer : ce n'est qu'une étape de plus dans la réalisation de grandes choses. Regardez la question sous cet angle : si vous comparez les femmes qui ont le mieux réussi et celles qui ont le moins réussi, lesquelles auront commis le plus d'erreurs selon vous ? Fort probablement celles qui ont couru le plus de risques, c'est-à-dire les femmes qui ont réussi. Mes bourdes n'étaient pas le signe que j'étais sur le point de perdre mon rêve ; elles étaient la conclusion logique des risques que j'avais pris, et c'était ce qu'il me fallait faire pour me rapprocher de mon but.

Passant à une autre technique, je me suis questionnée : *Est-ce une inquiétude ou une intuition ?* J'ai pris conscience que c'était sans contredit une inquiétude. Ce n'était pas une certitude intérieure qui m'avait subitement envahie ; c'était plutôt une sensation viscérale abominable venue dans le sillage de mes pensées négatives.

Néanmoins, c'est la question infirmative suivante qui m'a le plus aidée : *Est-ce probable ?* J'ai précisé la question : *Est-il probable que mon rêve m'échappe parce que j'ai fait quelques gaffes ?* La réponse était : « Non, bien entendu ! » De ce nouveau point de vue, je me suis rappelé que je faisais tout de même du bon travail. J'avais choisi et reçu des invités formidables et, en réalité, mon pourcentage d'erreur n'atteignait même pas un pour cent. Par ailleurs, on aime bien voir quelqu'un se mettre les pieds dans les plats à l'occasion ; c'est la raison pour laquelle les émissions de gaffes sont si populaires. Encore une fois, en appliquant les étapes du processus, j'ai pu constater à quel point contester les hypothèses qui me troublaient se révélait efficace et apaisant.

La prochaine fois que vous serez saisie par l'angoisse, assurez-vous que vous abordez le vrai problème en vous demandant : *Qu'est-ce que j'ai peur de perdre ?* Continuez à vous reposer la question à chaque réponse jusqu'à ce que vous sentiez que vous avez mis le doigt sur la racine de votre peur. Contestez ensuite vos hypothèses. Dans bien des cas, il vous suffira de remettre vos conclusions en cause pour recouvrer la sérénité. Cependant, si vous ressentez toujours de l'inquiétude, passez à la deuxième étape du processus, qui est l'objet du prochain chapitre.

Introduction

Parfois, l'anxiété pousse à l'action.

La deuxième étape du processus consiste à agir. En agissant de manière à contrôler ce que vous *pouvez*, vous diminuez votre anxiété de deux façons :

1. Votre mouvement préviendra peut-être ce qui vous inquiète.

2. Votre mouvement vous donnera l'impression de contrôler la situation.

Autrement dit, en franchissant cette étape, vous prenez les rênes de votre existence. C'est exactement ce que j'ai dû faire un jour, tandis que j'étais au marché avec ma fille Lindsay, alors âgée de six ans. Je poussais mon carrosse d'épicerie tandis que ma petite fille en poussait un conçu pour les enfants. Pendant que nous descendions l'allée des céréales, Lindsay parut entrer en transe. Regardant droit devant elle, elle poussa lentement son carrosse contre l'étagère, puis elle resta là, le regard vide.

Comme j'étais pressée, je l'ai appelée : « Viens, Lindsay. » Elle n'a pas bougé. J'ai répété son prénom un peu plus fort :

« Allez viens, Lindsay ! » Elle est restée sans bouger, regardant droit devant elle. Je me suis approchée et, me plaçant devant elle, j'ai répété son prénom fermement : « Lindsay ! » Elle ne m'a pas répondu, mais après quelques secondes, elle est revenue à elle. Je lui ai demandé ce qu'elle faisait ; elle a juste haussé les épaules et répondu qu'elle l'ignorait. Je me suis dit qu'elle s'était perdue dans ses rêveries.

Le lendemain matin, nous étions en voiture. Je conduisais et Lindsay était assise sur le siège arrière, du côté du passager. Elle a tout à coup interrompu son babillage pour m'annoncer : « Maman, je peux compter à rebours. Écoute : dix, neuf, huit, sept, six… » Il y eut un silence. Jetant un coup d'œil par-dessus mon épaule, j'ai vu qu'elle avait le même regard vide que la veille dans l'allée des céréales. Quelques secondes qui m'ont paru une éternité se sont écoulées avant qu'elle ne poursuive : « … cinq, quatre, trois, deux, un. »

Lindsay était fière de son exploit, mais j'étais morte d'angoisse. Je me suis aussitôt rendue au cabinet du médecin. Une fois là, m'approchant de la réceptionniste, je me suis exclamée avec des larmes dans la voix : « Il faut que le médecin voie Lindsay tout de suite ! » Moins de cinq minutes après, je racontais à la généraliste ce que j'avais observé au cours des vingt-quatre dernières heures. Incapable de poser un diagnostic, elle a organisé un rendez-vous avec une pédiatre pour le lendemain.

Le lendemain matin, la pédiatre nous a dit que, selon elle, ma fille souffrait de petit mal épileptique. Elle lui a fait passer un tomodensitomètre et un électroencéphalogramme afin de confirmer son diagnostic et d'écarter les autres possibilités. Les résultats étaient positifs : Lindsay souffrait d'épilepsie. On nous a dit qu'elle en guérirait probablement avant d'avoir dix ans, mais qu'entre-temps, il lui fallait prendre des médicaments anticonvulsifs afin de prévenir les crises. Autrement dit, elle allait s'en sortir. Je pouvais respirer.

Voici ce que je veux faire ressortir en racontant cet incident : parfois, l'anxiété nous pousse à agir. Mon angoisse m'a poussée à emmener ma petite fille chez le médecin ; je voulais découvrir ce qui causait ses transes et mon geste a eu de bons résultats. Aujourd'hui âgée de quatorze ans, Lindsay ne prend plus de médicaments et n'a eu aucune crise depuis cinq ans.

Vos angoisses *vous poussent-t-elles* à agir ? Le fait de vous inquiéter au sujet de votre santé vous encourage-t-il à consulter un médecin ou une nutritionniste et à vous mettre à l'exercice ? Le malaise que vous ressentez à l'idée de traverser seule un stationnement obscur tard le soir vous pousse-t-il à demander qu'on vous raccompagne à votre voiture ? Le stress qui vous envahit devant votre longue liste de tâches réussit-il à vous convaincre de déléguer, d'établir des priorités ou de suivre un cours de gestion du temps ? Procédez à un remue-méninges, seule ou avec quelqu'un d'autre ; dressez la liste des gestes motivés par votre anxiété. Assurez-vous de noter toutes vos idées par écrit ; vous resterez ainsi concentrée et à votre affaire.

Et si quelque chose vous bouleverse au point que vous sentez qu'il n'y a rien que vous puissiez faire ? Je vous rassure tout de suite : vous pouvez presque toujours améliorer une situation, peu importe sa dégénérescence inévitable et même l'état catastrophique des choses.

J'ai déjà rencontré un sans-abri avec une tasse à la main, debout au coin d'une rue du centre-ville. A priori, rien de très inhabituel. Il y avait pourtant une différence remarquable entre cet homme et les autres vivant une situation semblable. En passant devant lui, les gens ne pouvaient s'empêcher de sourire. En fait, presque tous ceux qui le croisaient fouillaient leurs poches pour lui donner de la monnaie. Qui aurait pu lui résister ? Debout au coin de la rue, il entrechoquait les pièces tout en chantant joyeusement à tue-tête :

> Si vous êtes heureux et en êtes conscient, donnez-moi un peu d'argent... *clink... clink.*
> Si vous êtes heureux et en êtes conscient, et si vous voulez vraiment le montrer, si vous êtes heureux et que vous en êtes conscient, donnez-moi donc un peu d'argent... *clink... clink.*

J'étais heureuse et j'en étais consciente, alors je lui ai donné un peu d'argent. Regardons les choses en face : pour la plupart d'entre nous, être sans travail, sans argent et obligé de vivre dans la rue est l'un des pires scénarios que nous puissions imaginer. Pourtant, en dépit de sa situation difficile, cet homme arrivait à améliorer les choses en se concentrant sur les possibilités qui l'entouraient.

Pendant que vous élaborez votre plan d'action, concentrez-vous sur les possibilités qui *vous* entourent. Avec un peu d'ingéniosité et de pensée créative, vous serez étonnée par ce que vous arriverez à faire. Encore une fois, rappelez-vous de noter vos idées par écrit à mesure qu'elles vous viennent. En écrivant les grandes lignes de votre plan, vous n'aurez plus le sentiment d'être impuissante et vous retrouverez une certaine maîtrise ainsi que votre sérénité.

Une fois votre plan d'action mis en place, prenez connaissance des stratégies suggérées dans ce chapitre : en les appliquant, vous rassemblerez le courage et la motivation dont vous aurez besoin pour aller jusqu'au bout. Vous étudierez quatre questions conçues pour vous aider à décider si le geste que vous envisagez en vaut la peine. Vous apprendrez aussi à vous libérer des peurs qui vous empêchent d'agir et à intégrer les idées qui amèneront le pouvoir de la foi et de l'influence à travailler pour vous.

Déterminez si agir
en vaut la peine

Vous êtes la seule à pouvoir décider ce qui est bon pour vous.

Agir sur ce que vous pouvez contrôler : l'idée paraît facile, mais avez-vous déjà remarqué que l'inquiétude, le doute et la peur nuisent souvent à l'action ? Beaucoup de gens se laissent arrêter dans leur élan parce qu'ils doutent de leurs capacités, craignent de perdre l'approbation des autres et s'inquiètent des suites d'un échec — ou de la réussite. Cessez de vous empêcher d'agir ; persuadez-vous plutôt de vous lancer en vous tenant un discours stimulant. La vérité est que vos pensées — qu'elles soient positives ou négatives — deviendront votre réalité.

Imaginons, par exemple, qu'une étape de votre plan consiste à vous mettre à l'exercice. Pour avoir le temps de faire du tapis roulant, vous décidez qu'à partir de demain, vous vous lèverez une demi-heure plus tôt. Le lendemain matin, le réveil sonne à 6 h 30. En ouvrant les yeux, vous vous dites : *Je ne serai jamais capable de suivre mon programme. À quoi ça sert ? Mon cas est désespéré ! Je ne peux pas.* Pensez-vous que vous allez sauter hors du lit pour monter sur le tapis ? C'est peu probable.

Supposons, d'un autre côté, qu'au moment où le réveil sonne, vous ouvriez les yeux et que vous vous disiez : *Je me lève pour faire de l'exercice tout de suite. J'en suis capable. Aujourd'hui, je suis mon programme.* Pensez-vous que vous aurez amélioré vos chances — de sortir du lit, à tout le moins ? Absolument.

Certaines étapes de votre plan vous demanderont de courir des risques plus grands que de vous lever plus tôt.

Sortir d'une relation malsaine, avoir des enfants, changer d'emploi, se marier, acheter une maison, se lancer en affaires, subir une chirurgie, sauter en parachute, prendre ses cliques et ses claques et déménager dans une autre ville sont des étapes qui exigent de courir un risque en se lançant dans l'inconnu. Les gestes qui auront les plus grandes répercussions sur votre vie et qui vous seront le plus profitables sont souvent ceux qui sont les plus affolants à envisager.

Devriez-vous quitter une relation malsaine et refaire votre vie comme mère monoparentale ? Devriez-vous laisser l'emploi qui vous rend malheureuse et lancer votre entreprise ? Devriez-vous avoir recours à la chirurgie esthétique ? Vous seule pouvez répondre à ces questions. C'est à vous de décider ce qui vous convient le mieux et de déterminer si vous êtes prête à courir le risque ou pas. La bonne nouvelle, c'est que vos réponses aux quatre questions suivantes vous seront d'une grande utilité pour prendre votre décision.

1. Si je pose ce geste, qu'est-ce qui pourrait arriver de mieux ?

2. Si je pose ce geste, qu'est-ce qui pourrait arriver de pire ?

3. Est-ce que ce qui pourrait arriver de mieux vaut la peine de courir le risque que le pire se produise ?

4. Et si le pire se produisait, est-ce que je serais capable de vivre avec le résultat ?

Si vous avez répondu oui aux deux dernières questions ; si vous croyez que ce qui pourrait arriver de mieux pèse plus lourd que ce qui pourrait arriver de pire ; si vous êtes capable de vivre avec le pire si jamais il en était l'issue, alors le geste que vous voulez poser en vaut la peine. Si c'est le cas, affirmez avec conviction : *J'en suis capable…* et vous aurez raison !

Transformez vos peurs en action

*Ce que vous regretterez le plus, ce ne sont pas les moments
où vous aurez eu l'air ridicule, mais ceux où
vous n'aurez pas agi.*

Quand j'étais fillette, ma mère s'acharnait à m'enseigner à ne pas parler aux étrangers. Elle me mettait régulièrement à l'épreuve pour voir si ses conseils portaient fruit : « Denise, si un étranger t'offre des bonbons, qu'est-ce que tu fais ? » Je lui répondais invariablement : « Je prends les bonbons et je m'enfuis en courant à toute vitesse. » Elle insistait en me disant que je devais laisser les bonbons et me sauver en courant. Je rétorquais que je pourrais courir tellement vite que non seulement je ne serais pas en danger, mais que j'aurais des bonbons gratuits.

J'avais quatorze ans quand j'ai rencontré l'étranger contre lequel ma mère m'avait mise en garde. Je rentrais seule à pied à la maison quand j'ai remarqué qu'une voiture se dirigeait vers moi. Elle a attiré mon attention parce que je me trouvais sur une route peu fréquentée. D'un côté, il y avait un champ cultivé, et de l'autre une clôture en bois d'un mètre quatre-vingts de hauteur ; par ailleurs, j'avais vu très peu de véhicules ou de gens en empruntant le chemin. J'ai constaté que la voiture ralentissait. Elle s'est arrêtée au beau milieu de la route, le conducteur a baissé la vitre de sa portière et m'a demandé : « Peux-tu me dire comment faire pour me rendre au McDonald ? »

J'ai entendu la voix de ma mère me rappeler de ne jamais parler aux étrangers, mais j'avais quatorze ans et je n'étais plus une enfant. L'homme me demandant des indications pour se rendre à un endroit qui existait vraiment, j'ai pensé qu'il s'était réellement égaré. Je me suis approchée de la voiture pour lui expliquer le trajet, mais, me souvenant des conseils de ma mère, je suis restée assez loin pour qu'il soit incapable de m'attirer à l'intérieur. Je lui ai dit comment se rendre, après quoi il m'a remerciée avant de s'éloigner lentement. Revenant vers le trottoir, je me suis retournée pour m'assurer que l'homme avait compris et qu'il prenait la bonne route, mais ce n'est pas ce qu'il a fait. Il a fait demi-tour avec sa voiture avant de se ranger sur le côté de la route où je me tenais et de sortir de son véhicule.

Mon instinct me commandait de m'enfuir, mais je me suis dit : *Tu ne peux pas te mettre à courir. Il y a peut-être une explication raisonnable au fait qu'il se soit rangé sur l'accotement. Si c'est le cas, tu auras l'air stupide de t'être enfuie.* Pourtant, plutôt que de risquer d'avoir l'air idiot, j'ai décidé d'accélérer le pas. Mais en regardant par-dessus mon épaule, j'ai vu qu'il se dirigeait vers moi. Quand nos regards se sont croisés, il a dit : « J'ai oublié de faire quelque chose. » Ses paroles ont suffi : je suis partie en courant. J'ai couru à toute vitesse jusqu'à ce que je sois en sécurité à la maison et que j'aie verrouillé toutes les serrures, le cœur battant.

Heureusement pour moi ce jour-là, j'ai laissé tomber ma peur d'avoir l'air idiot et j'ai agi de manière à assurer ma sécurité. Mais le plus sidérant, c'est que j'ai presque laissé cette préoccupation entraver mon action. Si je l'avais fait, les conséquences auraient pu être très graves.

Y a-t-il un geste que vous n'avez pas encore posé parce que vous avez peur d'avoir l'air ridicule ? Vous voulez peut-être essayer quelque chose de nouveau ou demander quelque chose à quelqu'un (un rendez-vous, de l'aide, une augmentation) et vous avez peur d'avoir l'air imbécile si on vous dit non ? Quel que soit le cas, si la menace d'avoir l'air ridicule vous empêche de passer à l'action, vous devez vous libérer de vos appréhensions — et vite !

La meilleure façon de vaincre le trac consiste à rire de soi. Si j'avais eu cette aptitude à l'âge de quatorze ans, je me serais enfuie loin de l'étranger dès qu'il aurait fait demi-tour, qu'il y ait eu ou non une explication raisonnable au fait qu'il ait ouvert sa portière et soit sorti de sa voiture.

Néanmoins, au fil des ans, j'ai appris à m'observer avec un certain humour — et c'est une bonne chose si on considère à quel point j'ai souvent l'air idiot. En voici un exemple : un jour que je déjeunais seule, j'ai remarqué un groupe d'hommes assis à une table dans un coin. Deux d'entre eux m'observaient, mais j'ai fait semblant de ne pas en être consciente. Au moment de partir, tout en faisant comme si je ne savais pas qu'on me regardait, j'ai réglé la facture avant d'enfiler nonchalamment mon manteau. Glissant mon bras gauche dans une manche, j'ai lancé mon bras droit derrière moi pour tenter d'enfiler l'autre manche, mais je n'y suis pas arrivée. J'ai réessayé une deuxième, puis une troisième fois… sans succès. Finalement, après ma quatrième tentative, j'ai compris pourquoi j'éprouvais tant de difficultés : j'avais enfilé le bras gauche dans la manche droite.

Je n'avais aucun moyen de me sortir de cette situation sans avoir l'air godiche. Je me suis tournée vers la table d'où provenaient tous ces regards observateurs, j'ai plaqué un sourire sur mon visage empourpré et je suis fièrement sortie du restaurant avec mon manteau à moitié enfilé. Est-ce que j'ai eu l'air ridicule ? Absolument ! Ce genre de situation arrive à tout le monde un jour ou l'autre. Quand vous avez l'air idiot, n'est-il pas plus facile de rire de vous-même, au lieu de vous inquiéter de ce que les autres pensent de vous ?

Ne laissez pas l'opinion d'autrui vous empêcher d'agir ou de poursuivre vos objectifs et vos rêves, car vous vous priverez d'un trop grand nombre d'occasions formidables et d'expériences mémorables. J'ai failli le faire. Il y a quelques années, j'avais un objectif : je voulais engager la conversation avec une célébrité. C'était important pour moi à cause de ce qui s'était produit quand j'avais rencontré Arnold Schwarzenegger. Laissez-moi reformuler cette phrase : à cause de ce qui *ne s'était pas* produit quand je l'avais vu à l'aéroport de Los Angeles. Je ne l'avais pas vraiment rencontré, parce que j'avais laissé mes appréhensions, quant à ce qu'il pourrait penser de mon geste, m'arrêter, et je l'avais beaucoup regretté. Ce jour-là, j'avais juré que je ne laisserais plus jamais passer une occasion — en particulier aussi séduisante !

Afin de chasser la souffrance de ce regret, j'avais décidé que la prochaine fois que je me rendrais à Los Angeles, je parlerais à quelqu'un de célèbre. Mon plan consistait à dîner dans le restaurant devant lequel je verrais le plus grand nombre de paparazzis, et c'est exactement ce que je fis. Je me souviens de l'occasion comme si c'était hier. J'ai traversé la salle à manger en m'efforçant d'avoir l'air décontracté et dans le coup et de me mêler à la clientèle huppée de Beverly Hills, mais je n'arrêtais pas de me dévisser le cou à la recherche de célébrités (pas dans le coup du tout !). Une fois que mon conjoint et moi fûmes assis à notre table, savez-vous qui j'ai vu ? Personne !

J'ai eu un petit coup de cafard, mais je n'ai pas abandonné pour autant. Quand le serveur s'est approché, je lui ai demandé : « Y a-t-il des célébrités ici ce soir ? » « Mais oui, a-t-il répondu, Sylvester Stallone est assis juste là. » Seigneur ! Sylvester Stallone était assis à *deux* tables de la nôtre ! Je tenais ma chance de chasser mon regret et d'atteindre mon objectif. J'ai donc déposé ma serviette de table sur la table avant de me tourner vers mon conjoint et de lui annoncer : « Je vais rencontrer Rocky ! »

C'est alors que l'inquiétude s'est emparée de moi. *Et si Rocky ne souhaitait pas me rencontrer ? S'il m'embarrassait devant tous ces gens ? Et si je me rendais ridicule ?* J'ai reposé ma serviette sur mes genoux et déclaré que j'avais changé d'avis. Toutefois, sentant le regret familier resurgir, j'ai attrapé ma serviette en m'exclamant : « J'y vais. J'y vais… je n'y vais pas… j'y vais… non… oui… non. » Le supplice infligé à cette pauvre serviette a bien dû durer quinze minutes, jusqu'à ce que je me dise : *Denise, tu peux le faire ! Ne t'inquiète pas ; cours le risque.*

Jetant ma serviette sur la table, je me suis levée, pleine d'assurance. Pleine d'assurance, je me suis approchée de Sylvester Stallone et je lui ai tendu la main. Quand il l'a saisie, je me suis transformée en guimauve et j'ai soupiré : « Ooohhh ! »

Oui, j'ai encore eu l'air ridicule. Par contre, je n'ai pas échoué, parce que je n'ai pas laissé mes appréhensions m'empêcher de tenter ma chance. À l'âge de quatre-vingt-dix ans, ce que vous regretterez le plus, ce ne seront pas les occasions où vous aurez eu l'air idiot ni celles où vous vous serez couverte de ridicule, mais les opportunités que vous n'aurez pas saisies. Prenez un moment pour vous imaginer à la veille de votre quatre-vingt-dixième anniversaire. Que voudrez-vous avoir engrangé comme expériences et succès durant votre vie ? La question que vous devez vous poser est la suivante : *Qu'est-ce qui me retient ?* Ne laissez pas la peur du ridicule vous empêcher d'agir. Cultivez plutôt votre propension à rire de vous-même et ensuite, tentez votre chance !

Visez le succès

Pour surmonter votre peur de commettre des erreurs,
visez le succès plutôt que la perfection.

Est-ce que la peur de commettre une erreur freine votre action ? Si c'est le cas, vous pouvez surmonter votre peur et mobiliser le courage pour agir en visant le succès plutôt que la perfection. À titre de perfectionniste en rémission, je sais que si vous présentez cette caractéristique (comme bon nombre de personnes anxieuses), vous avez probablement tendance à associer le succès à l'absence totale d'erreurs. Après tout, si tout n'est pas parfait, vous avez échoué, n'est-ce pas ? C'est faux. L'erreur n'est pas l'échec : c'est simplement le résultat d'une action. Ce n'est peut-être pas celui que vous espériez, mais ce n'est pas grave.

La clé du succès ne consiste pas à obtenir un résultat parfait chaque fois que vous agissez. L'important, c'est d'apprendre des événements — qu'ils soient bons, mauvais ou neutres — et de corriger votre tir jusqu'à ce que vous obteniez ce que vous recherchez.

J'ai découvert assez tôt dans ma carrière à quel point il est important d'apprendre de ses erreurs. Quand j'ai décidé de devenir conférencière, j'ai postulé pour animer un séminaire offert par une société internationale dont le siège se trouvait au Colorado. Un mois après avoir soumis mon curriculum vitae et une courte vidéo de démonstration, j'ai appris que j'étais engagée ! Après avoir profusément remercié la personne chargée de la décision, je lui ai demandé : « Pourquoi m'avez-vous choisie parmi les centaines d'autres postulants ? » La dame m'a répondu : « Vous parlez avec fougue. Je peux enseigner aux gens à devenir de meilleurs orateurs, mais je ne peux pas leur enseigner à parler avec fougue. »

J'ai aimé sa réponse. En fait, je l'ai tellement aimée que j'ai choisi de ne pas tenir compte du fait que la plupart des autres formateurs rencontrés n'étaient pas chauds à l'idée d'enseigner le sujet qui m'avait été assigné : les interrelations avec les personnes difficiles. Pourtant, n'est-ce pas un sujet stimulant ? À mon avis, apprendre aux gens à communiquer avec ceux de leur entourage qui constituent un défi m'apparaissait amusant. Dans ce cas, pourquoi mes collègues refusaient-ils de donner le séminaire ? J'ai eu la réponse très vite. Voyez-vous, la moitié des participants au séminaire y assistaient parce qu'ils voulaient apprendre ce que j'avais à leur enseigner. Mais l'autre moitié était constituée de *personnes difficiles*, envoyées là par leur employeur pour être « remises au pas ».

C'était mon premier jour dans ce nouvel emploi ; j'étais surexcitée à l'idée de me présenter devant deux cent cinquante personnes qui avaient payé pour m'entendre et qui étaient maintenant rassemblées dans cet auditorium de Québec où avait lieu le séminaire. J'ai commencé à neuf heures et à neuf heures quinze, je savais qui étaient les personnes problématiques du groupe ! Elles étaient facilement reconnaissables à leur expression méprisante qui ne pouvait signifier qu'une chose : *Je vous défie de m'apprendre quoi que ce soit !*

Et l'autre moitié ? J'allais certainement pouvoir compter sur le soutien des cent vingt-cinq autres participants, n'est-ce pas ? Malheureusement, l'anglais représentait pour la plupart leur langue seconde… Imaginez : je me tenais devant un auditorium plein à craquer et les seuls regards que j'obtenais trahissaient le mépris ou l'incompréhension !

Comme l'activité durait la journée, il me restait encore six heures et quarante-cinq minutes à parler. J'ai songé : *Aujourd'hui marquera le jour de mon long et douloureux trépas sur scène !* Et puis, je me suis rappelé ce que ma patronne avait dit : « Vous parlez avec fougue. » J'ai donc décidé : *Je vais créer un lien avec le public en m'adressant à lui avec fougue.* Et c'est exactement ce que j'ai entrepris de faire.

Pour m'adresser aux participants, je bondissais en bas de la scène pour être plus près d'eux, à leur niveau. Quand il fallait changer le transparent sur le rétroprojecteur, je remontais allègrement. À un moment donné, j'ai perdu une de mes chaussures en remontant. Je me suis penchée de côté pour la ramasser… Erreur ! Comme je tordais mon corps en me penchant, trois des boutons fermant le devant de ma jupe de soie sont tombés ! J'étais là, au beau milieu de la scène, une chaussure à la main, la jupe ouverte… Je me suis dit : *C'est peut-être un petit peu trop fougueux.*

Nous commettons tous des erreurs à l'occasion. Quand c'est votre tour, au lieu de vous faire des remontrances, tirez-en une leçon. Demandez-vous : *Qu'est-ce que j'ai appris et qu'est-ce que je ferai différemment la prochaine fois ?* La vie est un processus d'acquisition de connaissances. En apprenant de vos erreurs, vous grandissez. Voilà pourquoi vous devriez vous engager à en commettre *davantage*.

Quelle sorte de suggestion farfelue est-ce là ? Pourquoi diable suggérerais-je pareille chose ? Si vous commettez des erreurs, c'est que vous agissez, vous courez des risques. Plus vous courrez de risques, plus vous grandirez et plus vous vivrez dans la joie et l'insouciance. Par contre, comprenez que je ne vous conseille pas de vous montrer téméraire ou de faire en sorte d'échouer. Je vous recommande simplement de ne pas laisser la possibilité d'un faux pas freiner votre action et de viser le succès, non la perfection.

Appliquez cette approche positive à vos erreurs et vous serez étonnée des résultats. Vous perdrez graduellement votre peur de faire des erreurs, vous vous remettrez plus facilement de vos revers, et votre assurance et votre sérénité grandiront. En mettant en marche votre plan d'action, visez le succès et faites de votre mieux pour atteindre le but que vous vous êtes fixé. Si vous obtenez les résultats escomptés, bravo ! Sinon, encouragez-vous, car vous avez fait tout votre possible. Tirez de l'expérience les leçons qui s'imposent et réajustez votre tir jusqu'à ce que vous obteniez les résultats souhaités. C'est grâce à cette approche que je continue de progresser, et ce, en dépit de mes maladresses. Et c'est pourquoi je donne encore des conférences aujourd'hui — mais jamais vêtue d'une jupe qui se boutonne devant !

Croyez aux possibilités

*Pour atteindre vos aspirations les plus élevées,
le secret consiste à agir en croyant à la possibilité
de les concrétiser.*

Un soir, en rentrant à la maison, j'ai trouvé sur la porte un avis indiquant qu'une entreprise de messageries avait tenté de livrer un paquet qui nous était destiné ; comme il n'y avait personne, le livreur nous informait qu'il repasserait le lendemain. Je n'attendais rien de spécial par le courrier, aussi ai-je téléphoné à l'entreprise pour savoir d'où provenait le colis. Je n'ai pas reconnu le nom de l'expéditeur, mais je n'ai eu aucun doute quant à l'identité de la destinataire : Brianna, ma fille de dix ans. J'ai tendance à devenir un brin soupçonneuse quand un enfant reçoit un paquet inattendu par la poste. J'ai pensé que Brianna avait commandé quelque chose en ligne par inadvertance, mais au lieu de m'inquiéter ou de m'asseoir *illico* avec elle pour une mise à jour en matière de sécurité électronique, j'ai décidé de contester mon hypothèse et d'attendre la livraison.

Une fois le paquet livré, je l'ai ouvert pour voir ce qu'il contenait. La lettre qui l'accompagnait m'a renversée. Ma fille n'avait rien commandé en ligne ; elle s'était inscrite à un tirage au moment de notre dernière visite à son magasin de jouets favori. Or, elle et sa meilleure amie venaient de gagner l'opportunité de remplir une mallette de tous les jouets qu'elles pourraient attraper en quarante-cinq secondes en traversant le magasin en courant ! Cela peut paraître court, mais quand on sait exactement ce que l'on veut et qu'on a la permission de tendre la main et de le prendre, c'est bien assez !

Brianna s'inscrit tout le temps à des tirages et croit fermement qu'elle va gagner. Bien entendu, je crois qu'on peut toujours arriver à concrétiser ce qu'on souhaite accomplir, mais je dois avouer que j'ai parfois découragé ma fille à s'inscrire à ce genre de concours. Il m'est arrivé d'essayer de l'en dissuader parce que j'étais pressée. Je lui disais alors : « Brianna, ne remplis pas le formulaire maintenant, nous n'avons pas suffisamment de temps. » Elle m'a toujours répondu la même chose : « S'il te plaît, maman, ça ne prendra qu'une minute. » Elle avait raison puisqu'il ne lui fallait en effet qu'un moment pour griffonner l'information nécessaire.

Parfois, j'essayais de l'en empêcher — *comme ce fut le cas dans ce magasin de jouets qui venait de lui offrir cet incroyable coup de filet* — sous un prétexte banal, en lui disant, par exemple, que je n'avais pas de quoi écrire : « Je n'ai ni crayon, ni stylo. Pourquoi ne pas laisser tomber pour cette fois-ci ? » Mais jamais Brianna ne se laissait arrêter. Elle demandait à la caissière de lui prêter un stylo, elle remplissait le formulaire et s'inscrivait au tirage. Elle a persévéré et sa détermination a porté fruit.

Suis-je en train de vous suggérer de vous précipiter pour vous inscrire à tous les tirages de la ville ? Non. Par contre, si on vous offre la chance de participer *gratuitement* à un tirage, cela vaut la peine d'essayer ! À mon avis, on ne devrait jamais abandonner quand on veut atteindre un objectif. Même si on cherche à vous détourner de votre but, même si parfois vous avez l'impression de lutter contre des forces supérieures, ne vous arrêtez pas : persévérez dans votre action. Croyez plutôt que vous pouvez réaliser vos rêves, et continuez de faire le nécessaire pour vous rapprocher de votre but.

Pour atteindre vos aspirations les plus élevées (y compris celle de cesser de vous faire du souci), le secret consiste à agir en croyant à la possibilité de les concrétiser. Il ne suffit pas de se contenter d'y penser. Regardons les choses en face : vous ne pouvez pas gagner si vous n'êtes pas dans la course. D'un autre côté, agir sans y croire ne vous mènera à rien ; c'est la conviction d'atteindre vos buts qui vous aidera à persévérer et à continuer d'avancer quand surgiront les obstacles.

Envisageons la situation sous un autre angle : si vous croyez un but impossible à atteindre, vous vous convaincrez probablement de ne pas déployer les efforts nécessaires pour y parvenir. D'un autre côté, si vous pensez que vous pouvez y arriver, vous aurez au moins le courage d'*envisager* de tenter quelque chose ; vous améliorerez ainsi vos chances de *poser un geste*, ce qui augmentera du même coup vos chances de réussite.

Quand on est motivé par la foi, on peut accomplir des merveilles. Au début de ma carrière, je croyais que les conférenciers mémorisaient leurs textes en entier. C'est pourquoi, quand on m'a offert de donner des séminaires d'une journée, j'ai entrepris de mémoriser mes textes tels quels. Les séminaires durant sept heures, vous me croirez sans peine si je vous dis que d'en mémoriser le contenu représentait tout un défi. Néanmoins, je me disais que si les autres y arrivaient, j'en serais capable.

Je fonctionnais ainsi depuis plus d'un an quand j'ai rencontré d'autres animateurs dans le cadre d'une conférence. Quand ils ont appris que j'avais mémorisé quatre programmes d'une journée chacun, ils m'ont regardée, incrédules, avant de me demander comment j'avais fait. J'ai répondu : « Ne faites-vous pas tous la même chose ? » Ils ont secoué la tête. Chacun avait un système qui lui convenait, mais aucun n'utilisait la mémorisation.

Cette anecdote illustre à quel point les croyances sont extraordinairement puissantes. Si j'avais su au début de ma carrière que les autres conférenciers ne mémorisaient pas leur programme, je suis presque certaine que j'aurais été incapable de le faire. J'aurais cru que c'était impossible et cette idée serait devenue ma réalité. Le vieux dicton est juste : « Si tu crois que tu peux, tu peux. Si tu crois que tu ne peux pas, tu ne peux pas. »

En réfléchissant à différentes possibilités, vous pouvez vous ouvrir de nouveaux horizons et façonner votre avenir. Imaginons, par exemple, que vous avez toujours rêvé de vivre en Italie. Un jour, vous apprenez par une amie que l'agence de voyages locale cherche à combler un poste de guide touristique en Italie ; il s'agit d'un emploi de douze mois pour une personne de langue anglaise. Vous ne parlez pas italien et vous craignez que cela vous empêche d'obtenir l'emploi, mais plutôt que de laisser ce souci vous arrêter, vous décidez d'établir au moins un premier contact.

Vous passez à l'action et vous téléphonez pour un rendez-vous afin de passer prendre un formulaire et de parler à quelqu'un de l'agence. Au moment de votre visite, vous apprenez que la connaissance de l'italien n'est pas indispensable, mais qu'elle constitue un atout. Cette information vous stimule jusqu'à ce que la femme qui attend derrière vous sourie largement et s'exclame : « Super ! Je parle couramment italien. » Son commentaire vous rend un peu nerveuse, mais vous vous concentrez sur les possibilités et vous vous asseyez pour attendre de passer en entrevue.

Durant l'entrevue, le directeur vous demande si vous parlez italien. Vous croyez aux possibilités, mais comment répondre ? En répondant par la négative, vous pourriez voir disparaître une magnifique opportunité. Et pourtant, quoi répondre ? Devez-vous mentir et affirmer que vous le parlez ? Pas du tout. Énoncez plutôt une vérité pleine de pouvoir comme : « Je ne le parle pas *encore*, mais je sais que j'apprends rapidement. »

La différence est énorme entre *je ne parle pas* et *je ne parle pas encore*. Les premiers mots vous inhibent : rappelez-vous que si vous croyez ne pas pouvoir, vous ne pourrez pas. Quant au second, il vous rend libre. Il ouvre votre esprit et votre avenir à tout un champ de possibilités. Dans l'exemple précédent, est-ce que cet *encore* garantit que vous obtiendrez l'emploi ? Non, mais comme vous aurez démontré que vous ne vous concentrez pas sur ce que vous êtes incapable de faire, mais bien sur les opportunités qui s'offrent à vous, votre position sera plus avantageuse.

Comme l'illustre l'anecdote suivante, le mot *encore* peut vraiment favoriser l'ouverture d'esprit. Lors d'un séminaire sur la gestion de l'anxiété, j'expliquais le pouvoir de cet adverbe en me servant de l'exemple du guide touristique parlant italien. Ma sœur Deanna faisait partie des participantes ; comme elle venait d'accoucher quelques mois auparavant, elle s'en voulait beaucoup parce qu'elle ne pouvait plus porter ses vêtements d'avant. Après m'avoir écoutée parler de la puissance du mot *encore*, elle a déclaré : « J'arrête de me torturer. À partir de maintenant, en regardant mon jean, je vais me dire : "Je ne peux pas *encore* entrer dans ce jean." »

N'est-ce pas formidable ? Exprimé de cette façon, le mot *encore* a aidé Deanna à se montrer moins exigeante envers elle-même, en plus de l'inciter à agir de manière à atteindre son objectif. Après ces paroles inspirantes, ma sœur a ajouté : « Et le jour où j'entrerai dans ce jean, mon fils parlera italien. » Que voulez-vous ! Il n'y a pas de mal à faire de l'humour tout en croyant aux possibilités !

Y a-t-il quelque chose que *vous* n'avez pas encore fait ? De quoi s'agit-il ? Quels gestes devez-vous poser pour atteindre vos objectifs et cesser de vous inquiéter ? Peu importe de quoi il s'agit, ayez foi en vous-même et croyez en la possibilité de concrétiser ce que vous avez décidé. Conjuguez foi et action et n'abandonnez jamais. Vous constaterez qu'en coordonnant vos pensées et vos actions, et en persévérant, il n'y aura plus aucune limite à ce que vous pourrez accomplir !

Mettez le pouvoir de l'influence à votre service

Ce qui est au-delà de votre contrôle
n'échappe cependant pas toujours à votre influence.

Séisme, tornade, glissement de terrain, éruption volca-nique et belle-famille : qu'est ce que ces cinq éléments ont en commun ? Ils sont tous incontrôlables. Par contre, même si certains sujets d'inquiétude échappent à notre contrôle — les catastrophes naturelles et nos congénères, par exemple —, ils ne sont pas toujours au-delà de notre influence.

Si quelque chose « d'incontrôlable » survient tandis que vous concevez votre plan d'action, n'abandonnez pas. Étudiez plutôt les trois avenues suivantes, grâce auxquelles vous pourrez influencer ce qui est au-delà de votre contrôle et réfléchir à certains gestes créatifs de votre cru.

— Influencez directement ce qui échappe à votre contrôle. Il arrive parfois qu'on puisse agir sur le facteur incontrôlable lui-même. Prenons les gens comme exemple. On ne peut régenter le comportement d'autrui : demandez à n'importe quelle mère d'un enfant de deux ans qui fait une colère à l'épicerie. Cependant, on *peut*, même si ce n'est pas nécessairement facile, influencer autrui. Ayant animé bon nombre de séminaires sur la gestion des inter-relations avec les personnes difficiles, je sais qu'en prenant l'initiative et en changeant de comportement, vous pouvez arriver à motiver un changement chez autrui.

C'est une solution applicable dans le cas d'une personne ou d'une situation pouvant être changée conséquemment à nos actions.

— **Influencez le résultat.** Dans plusieurs situations préoccupantes, on peut poser des gestes qui favoriseront l'atteinte d'un résultat positif. Le secret consiste à se concentrer sur ce qu'on *peut* faire. Prenons un exemple : imaginons que vous organisez un important rassemblement extérieur et que vous vous inquiétez de voir l'événement compromis à cause de la pluie. Au lieu de vous concentrer sur l'impossible (contrôler le temps), tournez votre attention vers ce qui est possible. Suivant notre exemple, vous pourrez concevoir un plan de rechange pour que l'événement ait lieu à l'intérieur, comme voir à louer des tentes ou prévoir une autre date en cas de pluie. Qu'il fasse beau ou qu'il pleuve, vos actions auront une influence sur le succès de l'événement.

Prenons un autre exemple : supposons que vous craigniez d'avoir un accident de voiture en circulant quotidiennement sur les autoroutes en hiver. Impossible de contrôler les autres automobilistes et les conditions routières. Que pouvez-vous faire ? Vous pouvez équiper votre voiture de bons pneus à neige et modifier votre comportement au volant grâce à un cours de conduite préventive. Bien que certains facteurs échappent indiscutablement à votre contrôle, vous avez deux choix : être *réactive* et laisser le résultat vous influencer, être *proactive* et influencer le résultat.

— **Influencez l'impact.** Dans toute situation, on peut poser des gestes qui atténueront l'impact d'un événement incontrôlable, ne serait-ce qu'en choisissant la façon dont on y répond. C'est ce qu'a fait une jeune fille nommée Spencer McBride. En juillet 2003, Spencer a perdu sa mère Lisa. Cette dernière, une amie très chère, est décédée des suites d'un cancer. La mort de nos proches échappe malheureusement à notre contrôle. C'est horrible, mais de tels drames se produisent. Nous ne sommes pas toujours capables de modifier le cours des événements, mais nous sommes néanmoins en mesure d'influencer leur impact sur notre vie : nous avons le choix de notre réaction.

Désireuse d'agir et déterminée à faire une différence, Spencer est passée à l'action. Elle a commencé à confectionner et à vendre des bracelets de perles et à remettre ses profits à la lutte contre le cancer. Spencer n'avait aucun contrôle sur le cancer ou la perte de sa mère, mais par ses gestes, elle a influencé — et elle influence — l'impact de ce dernier sur sa vie et celle d'autrui.

Savez-vous ce que cette jeune activiste a de plus remarquable ? Quand elle a commencé à vendre des bracelets après le décès de sa mère, Spencer n'avait que onze ans ! Ce qui est encore plus remarquable, c'est qu'elle est aujourd'hui la *doyenne* de l'équipe des joaillières-luttant-contre-le-cancer, qui se compose de Spencer (quatorze ans), de sa sœur Taylor (douze ans) et de leurs cousines Hannah Malone (neuf ans), Kristie McBride (dix ans) et Shannon McBride (treize ans). À ce jour, le groupe a recueilli plus de quarante mille dollars. Et tous les profits sont versés à la recherche sur le cancer.

Comment réagissez-vous devant les « coups durs » ? Vous avez le choix. Vous ne pouvez pas contrôler toutes les ornières sur votre chemin ; par contre, vous pouvez décider d'agir de façon à amortir l'impact que les problèmes ont sur les autres et sur vous. Après tout, si un groupe d'enfants arrive à s'élever contre une maladie incontrôlable, je suis d'avis que chacune de nous peut faire la même chose.

Si vous angoissez au sujet de ce qui échappe à votre contrôle, demandez-vous ceci : *Quels gestes puis-je poser pour influencer l'incontrôlable, le résultat ou l'impact de ceci dans ma vie ?* La réponse vous libérera de votre sentiment d'impuissance et vous mettra en contact avec votre pouvoir. Elle vous aidera à remplacer le désespoir par l'espoir, et le tumulte de votre esprit par la sérénité. Mettez le pouvoir de l'influence à votre service.

Agissez pour les bonnes raisons

Agissez en accord avec ce qui est bon pour vous,
non pour plaire aux autres ou pour éviter la critique.

Quand j'avais dix-neuf ans, j'ai emménagé dans un appartement minuscule avec mon petit ami. Notre relation n'était pas harmonieuse, car nous avions des buts et des intérêts différents. Cependant, à l'époque, j'étais terrifiée à l'idée d'être célibataire. De cette crainte était née la croyance que mieux valait une relation boiteuse que pas de relation du tout. Je croyais aussi que la cohabitation améliorerait notre situation comme par magie ; j'ai donc fait mes cartons et je suis déménagée.

Ce faisant, j'ai vu ma peur du célibat s'estomper. Cependant, ma décision de quitter la maison avait engendré un nouveau facteur de stress : je m'inquiétais maintenant de déplaire à ma famille. Selon moi, elle désapprouvait mon union de fait ; en conséquence, pour me libérer de mon anxiété, mon ami et moi nous sommes mariés un an plus tard.

À ce stade, j'avais déjà pris deux très mauvaises décisions. J'avais emménagé avec un homme sachant qu'il ne me convenait pas afin d'échapper à ma peur du célibat. Je l'avais ensuite épousé pour faire taire ma crainte d'être désapprouvée. J'ai vite compris qu'on ne corrige pas une mauvaise décision en en prenant une autre. J'ai sombré dans la dépression. Pour mon entourage, rien ne laissait transparaître mon état intérieur. Je faisais tout pour plaire ; j'ai donc continué à sourire en dépit de ce qui se passait dans ma tête et dans mon cœur. Néanmoins, il y avait un signe de dépression que je n'arrivais pas à cacher : je dormais tout le temps. Je m'assoupissais n'importe où : chez des amies, au cinéma et même, une fois, dans une salle de quilles. Je n'arrivais pas à garder les yeux ouverts.

Entre la première et la seconde année de mon mariage, j'ai compris qu'il fallait que je mette un terme à la relation ; pourtant, l'idée de divorcer m'effrayait. Je n'étais mariée que depuis un an. Qu'est-ce que les autres penseraient ? J'imaginais que l'on conclurait que j'avais été stupide de m'engager si jeune. Je croyais qu'on me regarderait de haut quand je serais divorcée. J'imaginais toutes sortes de jugements, et ces fantasmes m'ont presque paralysée — *presque*.

J'ai rompu juste avant notre deuxième anniversaire de mariage et les gens ont bel et bien réagi. Ceux qui avaient l'habitude de penser à mal et de se répandre en commérages l'ont fait. Les personnes encourageantes, généralement optimistes, sont restées à mes côtés et m'ont remonté le moral. Indépendamment de mon divorce, tout le monde a continué de penser comme d'habitude. Une seule chose a changé, mais elle était de taille : j'étais heureuse et je fondais maintenant mes choix de vie sur ce qui était bon pour moi.

Je partage cette anecdote très personnelle pour illustrer deux façons d'agir. On agit parfois pour les mauvaises raisons ; on fait ce qu'on croit que les autres veulent plutôt que ce qui est bon pour soi. Parfois, les gestes qu'on craint le plus de poser sont aussi ceux qui ont les conséquences les plus significatives sur notre qualité de vie.

Je comprends à quel point on peut trouver difficile de faire ce qui est bon pour soi quand on doit compter avec la possibilité d'être jugé ou de déplaire. C'est pourquoi j'ai élaboré trois stratégies qui pourront vous aider à affronter la critique ; ce faisant, vous pourrez agir pour vous libérer de votre anxiété et retrouver votre sérénité.

1. Examinez la source. Qui vous critique ? Est-ce une personne en qui vous avez confiance, quelqu'un qui vous aime et qui veut votre bonheur ? Ou est-ce un « penseur médiocre » ? Il y aura toujours en ce monde des gens déterminés à vous écraser sous l'assaut de leur négativité. Ne gaspillez pas votre énergie à essayer de comprendre pourquoi ils vous jugent : c'est un puzzle indéchiffrable dont certaines pièces manquent, en plus. Investissez plutôt votre énergie dans la recherche de gens qui vous inspirent, croient en vous et vous acceptent telle que vous êtes.

2. Accordez du poids à ce que vous pensez de vous. Vous pouvez toujours choisir entre vous inquiéter de l'opinion d'autrui et accorder du poids à ce que vous pensez de vous-même. Je vous recommande fortement d'opter pour la seconde solution. Ne gaspillez pas votre vie à vous efforcer de plaire aux autres. Comme ma mère le disait souvent : « Ceux qui t'aiment vont toujours t'aimer, peu importe ce que tu fais. Mais il y en aura toujours qui *ne t'aimeront pas, peu importe* ce que tu feras. On ne peut pas plaire à tout le monde. » Il est temps de cesser de vous consacrer au bonheur d'autrui et de vous occuper du vôtre.

3. Considérez l'ensemble. Cet exercice m'a beaucoup aidée quand on m'a donné une évaluation défavorable au début de ma carrière de conférencière. Je venais de terminer un séminaire de trois heures et j'avais décidé de lire les formulaires de commentaires avant de rentrer à la maison. Il y en avait une centaine et ce que je lisais me plaisait beaucoup jusqu'à ce que j'arrive à la moitié de la pile et que je découvre une évaluation beaucoup moins flatteuse.

La participante qui en était l'auteure était plutôt du genre critique. En fait, elle n'avait à peu près rien aimé. À votre avis, qu'est-ce que j'ai fait de son évaluation ? Je l'ai déchirée ? Jetée ? Non ! J'ai fait ce que beaucoup de gens font avec une critique : je l'ai mise de côté pour y revenir plus tard. J'ai ensuite jeté un coup d'œil rapide sur les évaluations positives qui restaient avant de reporter mon attention sur la mauvaise.

J'ai fait au moins *une* chose de bien : je n'ai pas écarté la critique d'emblée. Il faut tenir compte des commentaires défavorables, car sous la critique se cache peut-être une information précieuse qui nous aidera à grandir.

Cependant, il est tout aussi important de comprendre qu'un seul jugement négatif ne fait jamais le tour d'une question, quelle que soit sa justesse ou son inexactitude. Mon erreur a été de me concentrer sur cette évaluation négative. Le lendemain, heureusement, j'avais recouvré la raison. Je me suis dit : *Denise, reprends-toi. Qu'est-ce qui ressort le plus de cette évaluation ?* La vérité était que 99 participants sur 100 avaient déclaré avoir appris ce qu'ils espéraient apprendre ; plusieurs ajoutaient même qu'ils avaient aimé le séminaire bien plus qu'ils ne s'y attendaient. En regardant la situation dans son ensemble, j'ai pu prendre conscience que j'avais accordé beaucoup trop de poids à l'opinion d'une seule personne.

Face à la critique, au lieu de vous laisser abattre comme la majorité, prenez du recul et observez la situation dans son ensemble. Demandez-vous ceci : *Quels commentaires positifs ai-je reçus ? Selon moi, qu'est-ce que j'ai fait de bien ?* Servez-vous de vos réponses pour célébrer ce que vous avez fait de bien et apaiser votre esprit.

La prochaine fois que la peur de déplaire ou d'être critiquée fera obstacle à votre désir d'agir selon ce que vous savez bon pour vous, rappelez-vous d'examiner la source de votre angoisse, d'accorder du poids à ce que vous pensez de vous et de considérer la vision d'ensemble. À l'aide de ces techniques, vous saurez agir pour les bonnes raisons, réaffirmer votre point de vue et retrouver votre sérénité.

Soyez intègre

Si vous avez manqué d'intégrité,
faites en sorte de corriger la situation si vous le pouvez.

Shannon Barks, une de mes amies, a reçu d'une de ses tantes un éclateur de maïs à air chaud en cadeau de mariage. Comme cette tante est très proche de la famille, la nouvelle mariée s'est interrogée : *Pourquoi m'avoir donné un appareil comme celui-ci en cadeau ? Ce n'est pas très original.* Cependant, pour ne pas paraître ingrate ni blesser sa tante, elle lui a envoyé une note de remerciements : « Merci beaucoup pour l'éclateur de maïs. Nous l'utilisons très souvent. » Puis, elle a posté la lettre et rangé le cadeau dans une armoire de la cuisine sans ouvrir la boîte.

Un an après son mariage, Shannon a retrouvé l'appareil depuis longtemps oublié en faisant le ménage des armoires de la cuisine. Avec un sourire, elle s'est encore une fois demandé pourquoi diable sa tante avait choisi un tel cadeau. Comme elle faisait le ménage, elle a sorti la boîte de l'armoire et l'a ouverte. Quelle n'a pas été sa stupéfaction quand elle a vu qu'elle contenait les plus belles tasses à thé en porcelaine qu'elle eût jamais vues !

Cette histoire a-t-elle une morale ? Elle en a même deux :

1. Contestez toujours vos hypothèses. Si Sharon n'avait pas supposé que l'illustration de la boîte correspondait à son contenu, elle l'aurait ouverte et aurait découvert le véritable cadeau qui lui était destiné. Par conséquent, elle ne se serait pas retrouvée ensuite dans cette situation terriblement embarrassante.

2. Même quand ils semblent négligeables, les manquements à l'intégrité — comme ce mensonge pieux à propos d'un éclateur de maïs — peuvent faire naître une inquiétude phénoménale. Mon amie a certainement été bouleversée en imaginant ce que sa tante avait pu penser en recevant une note de remerciements pour un appareil qui n'avait été ni offert ni utilisé !

Il n'y a pas de meilleur moyen pour se créer des inquiétudes inutiles que de faire des entorses à son intégrité. Pourtant, comme tous vos congénères ici-bas, vous êtes humaine et vous faites des erreurs. Même avec les meilleures intentions du monde, il pourra vous arriver, à un moment ou à un autre, de manquer d'intégrité. C'est ce qui m'est arrivé dans une situation difficile avec l'un des employés de la décharge municipale.

Dans le quartier où j'habitais avant, la cueillette régulière des ordures ménagères n'incluait pas les sacs d'herbes coupées ; je me rendais donc à la décharge chaque samedi pour en disposer. La première fois, j'ai rencontré un employé dont l'unique responsabilité consistait à répartir les ordures. Je devais donc lui expliquer de quelle sorte d'ordures il s'agissait pour qu'il m'indique dans quelle partie de la décharge je devais les laisser.

Le premier jour, l'employé m'a demandé ce que j'apportais. J'ai répondu : « J'ai quelques sacs d'herbes coupées, un certain nombre de boîtes de carton et un sac de déchets divers. » Il est resté silencieux un moment avant de soupirer : « Oh ! Des déchets d'hiver… avec des sacs d'herbes ! Nous sommes pourtant bien en automne. » J'ai trouvé son commentaire amusant.

La deuxième semaine, il a répété sa blague. J'ai trouvé que c'était plutôt sympathique. Mais la dixième semaine, après avoir entendu la même blague dix fois, je ne voulais plus entendre parler des « déchets d'hiver ». Je suis devenue sèche. Regardant droit devant moi, j'évitais le regard de l'employé. Je ne souriais plus, espérant que mon comportement lui ferait comprendre que je n'étais pas d'humeur à faire la conversation. Par ailleurs, j'évitais soigneusement de prononcer les mots *déchets divers*.

Un matin, après ma corvée hebdomadaire, je me suis dit : *Denise, qu'est-ce que tu fais ? Tu manques d'intégrité.* Selon moi, être intègre signifie en partie traiter les gens avec bienveillance et respect ; or, ce n'était pas ce que je faisais avec cet homme. J'étais impolie, alors qu'il essayait simplement d'agrémenter ma journée. Son seul crime était de ne pas se rendre compte qu'il répétait la même blague à la même personne semaine après semaine. J'ai compris que je devais faire amende honorable.

C'est la clé quand on a manqué d'intégrité. Plutôt que de regretter ou d'angoisser, il faut corriger la situation quand c'est possible. L'idée m'a frappée un samedi matin. Je me suis tout de suite mise à réfléchir à ce que je pourrais faire pour m'amender. Le même jour, je me suis souvenue d'un détail : l'employé de la décharge ne me demandait jamais ce que j'avais comme ordures. Cet homme particulièrement jovial disait : « Et qu'est-ce qu'il y a au menu aujourd'hui ? » De retour à la maison, je lui ai donc concocté un menu :

Menu
Bar-rôtisserie Les vidanges

Hors-d'œuvre
De choses et d'autres : rognures de gazon tardif, vieillies deux semaines à 41 °C dans un garage, servies avec un délicat coulis de marc de café.

Plat principal
Ordures en sauce : restes de rôti artistiquement présentés dans une sauce à la crème tournée, sur un lit de papiers mouchoirs délicatement souillés. Un dégoûtant festin à ne pas manquer.

Et pour finir…
Miettes et autres restes : pas besoin d'être au régime pour savourer l'arôme de ce gâteau de compost à la mode de New York. Humez vous-même !

Après le repas, joignez-vous à nous et
venez goûter d'autres délices.
Visitez le Détritus Club Hivernal où divers restes
vous seront servis, au son de l'orchestre Les Eaux Grasses.

Je n'ai jamais été aussi excitée de me rendre à la décharge que la fin de semaine suivante. Armée de mon menu, j'ai arrêté ma voiture près de l'employé et quand il m'a demandé ce qu'il y avait au menu, je lui ai tendu ce que j'avais préparé en disant : « Laissez-moi vous informer de nos spéciaux. » Nous avons beaucoup ri, et nul besoin de vous dire qu'il m'a parfaitement reconnue les fois suivantes !

Si vous avez manqué d'intégrité, dans la mesure du possible, faites en sorte de corriger la situation. Si c'est impossible, demandez-vous ceci : *Qu'est-ce que j'ai appris ? Qu'est-ce que je ferai différemment la prochaine fois ?* Vos réponses vous aideront à ne pas répéter les mêmes erreurs. Par ailleurs, en apprenant de vos erreurs, vous pourrez vous réconforter en sachant qu'au moins, elles n'auront pas été inutiles.

Comme prochaine étape de votre plan d'action, définissez l'intégrité pour vous-même. Servez-vous ensuite de cette définition et faites-en la boussole qui vous orientera vers une vie sans angoisse. Encore une fois, si vous avez manqué d'intégrité, faites en sorte de corriger la situation si vous le pouvez. Vous calmerez beaucoup vos inquiétudes en faisant amende honorable dans un esprit de créativité.

Allez jusqu'au bout

Le chagrin qui vient du regret pèse plus lourd
que la souffrance d'être allé jusqu'au bout.

On dit qu'il n'y a pas d'endroit plus beau sur Terre pour admirer le lever du soleil que le sommet du mont Haleakala, le volcan de trois mille quarante-huit mètres qui domine l'île de Maui. J'étais déterminée à vivre cette expérience hors du commun lors d'un voyage en famille dans les îles. J'avais vraiment hâte de vivre ce moment extraordinaire. Pourtant, le matin de l'excursion, quand le réveil a sonné à trois heures, j'ai eu envie de le faire taire et de me rendormir. Mais je me suis souvenue de ce que j'avais lu, à savoir que le chagrin pèse plus lourd que la souffrance de la discipline ; je me suis donc extirpée de mon lit douillet et j'ai fait taire le réveil.

Encore endormis, mes enfants, mon mari et moi sommes partis à bord de notre jeep de location. Après avoir roulé quinze minutes pour nous rendre au pied du volcan et mis deux heures à *grimper* la pente dans le noir, nous sommes finalement arrivés au stationnement le plus élevé. Impossible d'aller plus loin en voiture. Pour atteindre le sommet, il nous fallait quitter notre véhicule chauffé et gravir un escalier où nous serions malmenés par de violents vents froids. En plus de la bourrasque, nous devions composer avec l'altitude. En fait, un écriteau au pied de l'escalier enjoignait les visiteurs de monter lentement en raison de la rareté de l'oxygène. Je n'ai pas pris l'avertissement au sérieux. *Je suis en forme* : voilà ce que je me suis dit en abordant les marches deux à deux. Grossière erreur ! Très vite, mes quadriceps affamés d'oxygène se sont mis à hurler et j'ai été prise de vertige. (Par contre, j'apprends vite ; alors, croyez-moi, quand j'ai vu dans les toilettes une affichette qui disait « ne buvez pas l'eau des cuvettes », j'ai bien pris note !)

Finalement, une fois au sommet, frigorifiés et fatigués, nous avons attendu le lever du soleil, emmitouflés dans des couvertures. Vous êtes probablement en train de vous dire : *Corrigez-moi si je me trompe : vous avez pris l'avion jusqu'à Maui, vous vous êtes levée des heures avant le soleil, vous avez cahoté pendant deux heures et un quart dans une jeep de location pour vous rendre au sommet d'un volcan où vous avez gelé. Mais quelle sorte de vacances était-ce là ?!* Je pense que mes enfants se sont posé la même question jusqu'à ce que le soleil se lève.

À cet instant, l'obscurité a été remplacée par une lumière étincelante. Nous avions atteint une telle hauteur qu'il y avait des nuages au-dessous de nous ; or, les rayons du soleil se reflétaient sur les nuées au-dessus et au-dessous de nous. C'était à en couper le souffle. Si j'avais fait taire le réveil et que je m'étais rendormie ce matin-là, j'aurais raté l'une des visions les plus spectaculaires de ma vie. Dans ce cas, comment avais-je pu *envisager l'idée* d'annuler l'excursion ?

Nous agissons pour deux raisons : pour avoir du plaisir et/ou pour éviter la souffrance. Si je m'étais rendormie, j'aurais gagné le luxe de quelques heures supplémentaires de sommeil et évité le désagrément d'avoir à sortir d'un lit tout chaud. À ce moment-là, le geste aurait été satisfaisant et j'aurais peut-être même eu l'impression d'avoir échappé à la souffrance.

Mais était-ce le cas ? En réalité, je n'aurais pas évité la souffrance ; j'en aurais plutôt créé une d'un autre type : le regret. Et, contrairement à un désagrément passager comme sortir du lit, les tourments du regret auraient été beaucoup, beaucoup plus difficiles à endurer.

Déjà, il m'arrivait, en échange d'un plaisir immédiat, de renoncer à la satisfaction que je ressentais quand je respectais mon plan d'action jusqu'au bout. J'ai sauté quelques séances d'exercice pour dormir plus longtemps, et je suis retournée me servir plusieurs fois au buffet plutôt que de m'en tenir à mon objectif d'alimentation saine. Ce faisant, j'ai appris que les frissons immédiats se dissipent rapidement, mais que le regret empoisonne longtemps.

S'il y a dans votre plan d'action un élément que vous n'avez pas encore mené à terme — vous en tenir à un régime alimentaire santé, vous lever plus tôt pour admirer le lever du soleil, ou quoi que ce soit qui exige un certain effort —, souvenez-vous que le plaisir immédiat disparaît rapidement. Oui, s'imposer la discipline nécessaire pour maintenir et atteindre ses buts est difficile, mais regretter de ne pas avoir agi comme il le faut l'est tout autant. J'ai déjà entendu dire que la différence tient à ceci : la souffrance de la discipline pèse une plume alors que le regret pèse des tas de kilos. Néanmoins, en considérant ce poids d'un œil positif, vous pourrez vous en servir pour vous motiver.

Voici comment vous y prendre : quand vous hésitez entre agir ou non, ou quand vous devez choisir entre rester fidèle à vos objectifs ou les abandonner, demandez-vous ceci : *Comment vais-je me sentir demain, la semaine prochaine, le mois prochain ou l'année prochaine si je ne vais pas jusqu'au bout ?* Prenez le temps de vraiment imaginer votre état.

C'est ce que je fais quand la deuxième portion de gâteau au chocolat m'appelle juste avant que j'aille au lit.

J'imagine comment je me sentirai le lendemain si je la mange. La souffrance anticipée est souvent suffisante pour que je renonce au plaisir momentané de jouir du gâteau. En vous servant de la perspective du regret pour vous motiver, vous ne serez plus enchaînée à l'attrait du plaisir immédiat et vous pourrez goûter la satisfaction à long terme qui vient quand on atteint ses objectifs.

Et s'il est déjà trop tard ? Qu'arrive-t-il si vous souffrez parce qu'un rêve auquel vous teniez n'a pas été réalisé quand vous en avez eu l'occasion ? Vous auriez peut-être souhaité terminer vos études universitaires, passer plus de temps avec vos enfants, persévérer dans votre programme d'exercice ou entreprendre une nouvelle carrière. Peu importe, sachez que vous pouvez vous détendre, il n'est pas trop tard. Comme le dit le vieux proverbe : « Le meilleur moment pour planter un arbre, c'était il y a vingt ans. Faute de mieux, c'est aujourd'hui. » Peut-être auriez-vous dû suivre votre plan d'action hier ou l'an dernier ou même il y a dix ans, mais faute de mieux, il vous reste aujourd'hui.

Indépendamment de vos actes ou de votre refus d'agir, vingt autres années vont s'écouler : voilà pourquoi il est dans votre intérêt d'agir maintenant. « Maintenant » est à coup sûr le seul moment que vous ayez : il est donc parfait pour élaborer le reste de votre vie. Plantez aujourd'hui l'arbre de votre avenir en allant au bout de votre plan d'action. Arrosez-le, fertilisez-le et regardez-le grandir. Il vous hissera peut-être vers des sommets que vous n'auriez jamais cru possibles. Dans quelques décennies, vous vous direz : *Le meilleur moment pour agir, c'était il y a vingt ans. J'ai agi !*

Dès à présent, examinez attentivement votre plan d'action. Que ressentirez-vous en commençant à en franchir les étapes ? Et comment vous sentirez-vous si vous n'agissez pas ? Laissez votre motivation naître de vos réponses.

Un peu comme quand on admire le lever du soleil du sommet d'un volcan, ce que vous ressentirez en allant de l'avant et en atteignant vos buts sera l'une des plus belles expériences de votre vie.

Maintenant que vous agissez sur ce que vous pouvez contrôler et que vous savez contester vos hypothèses, vous êtes prête à passer à la troisième étape du processus et à lâcher prise sur ce qui échappe à votre contrôle.

Introduction

Apprenez à abandonner vos angoisses.
Le fait de vous y accrocher sème le désordre dans
votre organisme.

L'anxiété est une habitude. Or, si vous avez déjà tenté l'expérience, vous savez que se débarrasser d'une mauvaise habitude peut constituer tout un défi. Enfant, j'ai commencé à me ronger les ongles quand j'étais anxieuse ou perturbée. J'ai continué à l'âge adulte, mais comme l'apparence de mes mains me dérangeait, j'ai décidé d'arrêter. Pour m'aider à accomplir cet exploit, j'ai peint mes ongles d'un vernis au goût infect. Je n'ai pas eu le succès escompté. J'ai donc eu recours aux ongles artificiels, sans plus de succès. J'ai ensuite essayé des stratégies alternatives pour m'aider à gérer mon stress, par exemple désencombrer une pièce de la maison, écrire sur mon ressenti ou me confier à une amie. Elles ont paru fonctionner, ce qui prouve la véracité de l'affirmation selon laquelle « on ne se défait pas d'une habitude, on la remplace ».

Voilà pourquoi la troisième étape du processus C.A.L.M. est cruciale. Au lieu d'essayer de vous défaire de votre tendance à vous inquiéter à tout propos, vous allez apprendre à appliquer des stratégies pour remplacer vos angoisses et vous en libérer. N'oubliez pas que l'angoisse est une habitude et sachez que l'application des techniques « d'abandon » pourra s'avérer exigeante au début. Oui, je l'avoue, il m'arrive à l'occasion de rechuter et de me ronger les ongles.

Mais plutôt que de me torturer — une autre de mes anciennes habitudes —, je remplace mes remontrances par un discours positif. Je me rappelle que je suis humaine et je prends à nouveau l'engagement de cesser de me ronger les ongles. Combien de fois ai-je recommencé ? Je l'ignore, mais je sais qu'elles ont été nombreuses. Et combien de chances devrais-je me laisser avant d'abandonner ? Autant qu'il en faudra pour réussir !

Qu'il s'agisse d'arrêter de se faire du souci ou de se ronger les ongles, quand on essaie de vaincre une habitude, il faut bien comprendre que rechuter n'est pas échouer. Ce n'est qu'une ornière sur le chemin et tous les voyages en comportent quelques-unes au moins. Pour atteindre votre destination, le secret consiste à poursuivre votre chemin en dépit des ornières, de vous donner le droit d'être humaine, de reconnaître la situation pour ce qu'elle est et de faire une nouvelle tentative. Si vous accusez du recul, soyez indulgente envers vous-même. Reprenez-vous, acceptez d'être faillible et reprenez votre chemin.

Si vous craignez d'être incapable de cesser de vous faire du souci, laissez-moi vous dire que vous *pouvez* y arriver, peu importe qui vous êtes, ce que vous avez vécu ou ce que vous traversez. J'ai déjà été maladivement anxieuse et j'y suis arrivée, alors vous le pouvez vous aussi ! Vous devrez déployer des efforts, mais le jeu en vaut la chandelle. En appliquant les stratégies de remplacement décrites dans ce chapitre, vous vivrez un épanouissement incroyable sur le plan émotionnel et vous serez aussi très étonnée de leurs répercussions sur le plan physique.

L'anxiété est l'une des causes fondamentales du stress, que nous savons être à l'origine de l'hypertension artérielle, des crises cardiaques, des accidents vasculaires cérébraux, du diabète, des ulcères, des céphalées et des douleurs dorsales. Par ailleurs, on sait maintenant que le stress et l'anxiété incitent l'organisme à stocker des graisses. Parlez-en à une salle remplie de femmes et la réaction sera quasiment identique partout : « Ça explique beaucoup de choses ! »

Voyez-vous, la recherche a démontré que le stress déclenche une surproduction de l'hormone cortisol. Cette surproduction provoque à son tour un accroissement du stockage des graisses dans la région abdominale. Pour empirer les choses, selon une étude des chercheurs du centre et de l'institut de recherche sur le cancer H. Lee Moffit de Tampa, en Floride, il semble qu'un excédent de graisses stocké dans la région abdominale augmente les risques de cancer du sein. Inutile de dire que s'accrocher à ses angoisses peut semer la pagaille dans l'organisme ! D'un autre côté, s'en libérer contribue à augmenter les chances de vivre longtemps, heureuse et en santé.

Dans ce chapitre, vous découvrirez donc cinquante-deux stratégies ayant pour objectif de vous libérer de vos angoisses. Au fil des années, ces stratégies m'ont aidée, tout comme elles ont aidé les milliers de femmes qui ont participé à mes séminaires sur la gestion de l'anxiété. Je commencerai d'abord par expliquer neuf des idées en détail, puis j'énumérerai les quarante-trois stratégies restantes. Certaines vous aideront à oublier vos inquiétudes. D'autres sont conçues pour aider votre corps à se guérir du lourd tribut que le stress exige. Il y a aussi quelques nouvelles techniques de lâcher-prise, ainsi que de vieux outils éprouvés et renouvelés. Grâce à toutes ces possibilités, vous arriverez à vous défaire définitivement de votre mauvaise habitude.

Il y a deux manières de mettre les stratégies en œuvre :

1. Prenez connaissance de toutes celles qui sont proposées et choisissez ensuite celles qui vous intéressent le plus.

2. Étudiez toutes les idées et mettez un nouveau concept en œuvre chaque semaine pendant un an. En appliquant cinquante-deux stratégies en cinquante-deux semaines, vous découvrirez parmi celles-ci lesquelles vous conviennent le mieux.

Peu importe la méthode choisie, vous y gagnerez le soulagement mental et physique consécutif au relâchement de vos tensions quotidiennes.

Désencombrez

Désordre physique et désordre mental vont de pair.
Donnez, recyclez ou jetez ce dont vous n'avez plus besoin,
ce que vous n'utilisez plus et ce que vous n'aimez plus.

Inspirez profondément. Ensuite, expirez très lentement. Ce faisant, imaginez que vous expulsez toutes vos angoisses, toutes vos préoccupations et toutes vos tensions. Laissez vos muscles se détendre, puis reprenez le rythme normal de votre respiration. Imaginez maintenant que vous êtes dans un lieu calme, paisible et propice à la détente. Il s'agit peut-être d'une plage sablonneuse par une chaude journée estivale ou d'une forêt par un frais matin d'automne. Quel que soit ce lieu, à la fin du paragraphe, vous fermerez les yeux et, tout en continuant de respirer normalement, vous observerez attentivement comment vous vous sentez en ce lieu. Après être restée de dix à trente secondes dans votre refuge mental, vous ouvrirez les yeux et poursuivrez votre lecture.

Regardez autour de vous. Votre ressenti actuel est-il le même que celui qui vous habitait il y a un instant dans votre retraite imaginaire ? La plupart des gens constatent une grande différence. En effet, notre environnement influence nos émotions, nos pensées et nos attitudes. Donc, il tombe sous le sens que nettoyer son environnement physique de tout ce qui l'encombre constituera un bon moyen de faire le ménage de son désordre mental — de ses inquiétudes, par exemple.

Après tout, il est quasiment impossible de gérer le désordre de son esprit quand on peut à peine se retourner dans le fouillis de ses possessions. Pour quelle raison s'accroche-t-on à tant de biens quand le désordre du foyer et du lieu de travail engendre la confusion de l'esprit ? L'angoisse en est une. Voici deux préoccupations courantes qui vous poussent probablement à vous accrocher ; elles sont accompagnées de pensées de remplacement qui vous aideront à lâcher prise :

1. « Et si jamais j'en avais besoin ? » Cette question empêche des millions de gens de désencombrer leur existence. Voici comment cela fonctionne. Imaginons que vous décidez de nettoyer un de vos placards. Fermement déterminée à vous débarrasser de tout ce dont vous n'avez plus besoin, vous videz le placard de fond en comble afin de faire deux piles de ce qu'il contient. Dans la première pile iront les choses que vous comptez garder, tandis que la seconde rassemblera ce que vous voulez donner, recycler ou jeter.

Vous prenez le premier article. Vous ne l'avez pas utilisé depuis des années, mais comme il est encore en bon état, vous vous dites : *J'en aurai peut-être besoin un jour.* Vous le déposez donc dans la première pile, soit celle des objets à conserver. Vous passez à l'article suivant ; il semble brisé, mais vous songez : *Je pourrais probablement le faire réparer et j'en aurai peut-être besoin un jour.* Même s'il est abîmé, il rejoint la première pile. Vous prenez un troisième objet… que vous n'arrivez pas à identifier. Vous songez : *Un jour, je me souviendrai à quoi il sert et alors, j'en aurai peut-être besoin.* Ça va pour la première pile. Avant que vous en ayez pris conscience, elle est devenue énorme alors que la seconde est demeurée toute petite — et peut-être même inexistante. Pour finir, vous remettez ce que vous avez décidé de garder dans le placard, d'ailleurs tout aussi encombré qu'au début.

Vous reconnaissez le scénario ? Vous pouvez mettre fin à ce cycle en vous posant une seule question : *À quand remonte la dernière fois où j'ai utilisé cet objet ?* Si vous ne l'avez pas utilisé depuis un an, il y a de fortes chances pour que vous n'en ayez pas besoin avant longtemps. Un jour, vous découvrirez peut-être que ce dont vous venez de vous défaire aurait pu vous être utile. Néanmoins, à l'avenir, plutôt que de laisser cette expérience vous empêcher de désencombrer, répondez à cette question : *Est-ce que j'aurais su où était cet objet si je ne l'avais pas d'abord retrouvé en faisant le ménage ?*

2. « Et si cela avait de la valeur ? » Si vous croyez vraiment que votre fouillis a de la valeur, pourquoi ne pas le vendre tout de suite et déposer l'argent dans un compte portant intérêt ou donner la somme à quelqu'un qui en a plus besoin que vous ?

Vous pouvez aussi vous poser une excellente question : *Combien me coûte ce fouillis ?* Vos biens vous occasionnent des frais : vous devez les assurer, les entretenir et avoir assez d'espace pour les entreposer. Ils prennent de votre temps : vous devez les nettoyer, les déplacer pour trouver ceux dont vous avez besoin et les ranger. Ils occupent votre esprit. Combien vous coûte ce fouillis ?

Engagez-vous à vous défaire de trois objets, au travail ou à la maison, dans les prochaines quarante-huit heures. L'atteinte de ce petit objectif vous aidera à passer par-dessus le côté le plus exigeant de l'exercice, à savoir *s'y mettre* ! En entrant dans le mouvement et en nettoyant votre espace une fois pour toutes, vous serez ébahie du calme et de la paix qui naîtront dans votre esprit.

Priez

La prière sert de pont entre la panique et la paix.

C'était juste avant de débuter une tournée de trois jours durant laquelle je devais donner un séminaire sur le désencombrement. J'étais assise dans ma chambre d'hôtel et j'étais morte de peur. Ce n'était que ma deuxième tournée comme conférencière et ma première expérience professionnelle n'avait pas fonctionné aussi bien que je l'aurais souhaité. En fait, selon moi, cette première tentative avait été un tel désastre que je ne voulais plus *jamais* reparler en public. Mais comme jamais est un bien grand mot, j'étais à nouveau sur la route deux semaines plus tard.

Seule à l'hôtel, j'étais encore tellement perturbée par ma première expérience que je n'étais même pas certaine d'avoir le courage de quitter ma chambre. J'avais un urgent besoin d'aide : j'ai donc prié. J'ai demandé à Dieu de m'accompagner et de remplir la salle d'anges. Puis, j'ai pris une profonde inspiration, je me suis rendue à l'ascenseur, je suis descendue dans le hall et je me suis dirigée vers la salle où je donnais mon séminaire.

La première personne que j'ai vue, c'est une femme en train de réviser son manuel à l'extérieur de la salle. M'approchant pour me présenter, je lui ai tendu la main en disant : « Bonjour, je suis Denise Marek, l'animatrice du séminaire. » Elle a levé les yeux, m'a souri et m'a serré la main en disant : « Bonjour, mon nom est Angel. » En entendant ces mots, j'ai senti ma panique refluer et la paix m'envahir. J'étais très calme en donnant mon séminaire et tout s'est passé beaucoup mieux que je ne me l'étais imaginé.

Le lendemain, je me suis rendue dans la localité suivante pour redonner le même séminaire. Alors que je racontais à l'une de mes assistantes comment ma prière de la veille avait été exaucée, l'étonnement s'est peint sur son visage. Elle m'a lancé : « Je viens tout juste de réviser la liste des participantes et une autre Angel est inscrite ce soir ! »

Imaginez ! La veille, j'avais tellement peur que je ne voulais même pas quitter ma chambre, et là, j'avais peine à contenir mon impatience : j'avais hâte de me rendre dans la prochaine ville pour y rencontrer un autre « ange ». Avant que le troisième séminaire ne débute, j'ai attrapé la liste des participantes pour voir si j'y verrais le prénom attendu. Il n'y était pas. Je dois avouer que j'étais déçue. Déposant la liste, j'ai levé les yeux : une religieuse vêtue de l'habit traditionnel de son ordre venait d'entrer dans la salle. Je crois que c'était un exemple du sens de l'humour de Dieu : m'envoyer deux anges *et une religieuse !*

Vos prières sont exaucées. La réponse viendra peut-être de ce qu'on vous dit ou d'un quelconque événement. Ce sera peut-être quelque chose que vous observerez ou lirez. En voici un exemple : alors que je priais pour décider si je devais ou non relater l'expérience précédente, je suis passée en voiture devant une église. La marquise de l'édifice affichait le message suivant : « La prière sert de pont entre la panique et la paix. » Baissant les yeux, j'ai lu la plaque d'immatriculation de la camionnette qui me précédait : « I'M CALM » (Je suis calme — NdT). Pour ma part, la réponse était claire !

Quand vous cherchez la sérénité ou quand vous avez besoin d'un pont pour passer de la panique à la paix, pensez à faire une place à la prière dans votre quotidien. Peu importe votre confession religieuse ou votre vécu spirituel, le moyen fonctionne quand il s'agit de calmer ses angoisses, de se libérer de ses fardeaux et de recouvrer sa sérénité. Et n'oubliez pas : quand votre prière exige une réponse, vous l'obtenez — il suffit de garder les yeux ouverts. La réponse ne sera peut-être pas celle que vous souhaitiez, mais vous ne resterez pas sans réponse. Et parfois, elle correspondra exactement à ce que vous aviez demandé : une dose de courage, le soulagement de vos angoisses ou quelques anges dans l'auditoire.

Faites *comme si*

Instaurez le calme, la détente et la confiance en vous,
en agissant comme si c'était exactement votre nature.

Avez-vous déjà assisté à une réception de mariage, une conférence professionnelle ou un événement mondain où vous étiez à table avec des étrangers ? Ce serait un euphémisme de qualifier la conversation de malaisée… Or, c'est exactement la situation dans laquelle j'étais lors du dîner de bienvenue d'un colloque auquel j'assistais avec mon conjoint. Il y avait environ cent personnes dans la salle, et mon mari et moi étions assis à une table avec huit inconnus.

Après un échange de menus propos, j'ai fait une proposition aux quatre couples : « Si vous avez envie de participer à un petit jeu, je connais un moyen de faire en sorte que nous nous amusions plus que n'importe qui dans cette salle. Voici : tout au long du repas, nous devrons faire *comme si* nous nous amusions énormément. Par exemple, chaque fois que l'un de nous racontera une blague, nous devrons tous rire *comme si* c'était la plus drôle du monde, même si tel n'est pas le cas. »

Mes compagnons de table ont dû penser que j'étais un peu cinglée, mais heureusement, l'un d'eux s'est lancé en racontant une blague. Elle n'était pas très drôle, mais nous avons tous ri et poussé des cris. Cet accueil a encouragé quelqu'un d'autre à raconter une anecdote amusante ; encore une fois, nous nous sommes esclaffés comme s'il s'agissait de ce que nous avions entendu de plus drôle à ce jour.

Je sais que la chose paraîtra étrange, mais graduellement, tout le monde s'est détendu. Nous avons oublié notre crainte d'avoir l'air ridicule et cessé de nous inquiéter de l'opinion d'autrui, car nous savions que, même en proférant une inanité ou en racontant une anecdote sans intérêt, nous serions quand même bien accueillis. Par ailleurs, après quelques rires forcés, notre amusement est devenu réel ; il a augmenté en voyant les autres partager notre hilarité, et là, les choses sont devenues vraiment amusantes !

Vous connaissez le dicton : « Fais semblant jusqu'à ce que ce soit vrai » ? Nous avons commencé par faire *comme si* nous nous amusions beaucoup et, avant même de nous en rendre compte, c'était bel et bien le cas. Le plus intéressant, c'est que le jour suivant, plusieurs participants au colloque sont venus nous voir pour nous faire des commentaires du genre : « Vous avez eu de la chance d'être assis à cette table si amusante. Nous aurions bien aimé être assis avec vous hier soir. »

Voici qui vous donnera matière à réflexion : si on peut s'amuser en faisant *comme si* on avait vraiment beaucoup de plaisir, ne pourrait-on pas appliquer cette technique à d'autres situations du quotidien ? Ainsi, pour combattre la nervosité, pourquoi ne pas agir *comme si* vous étiez détendue ? Et, pour affronter vos angoisses, pourquoi ne pas faire *comme si* vous étiez calme ? Pourquoi ne pas incarner l'assurance pour faire échec à une faible estime de soi ? Au bout du compte, vous finirez par être celle que vous avez d'abord jouée, soit une femme détendue, calme et assurée.

Est-ce une bonne idée que de faire comme si vous étiez en pleine forme quand vous ressentez des douleurs dans la poitrine ? Est-il indiqué de faire comme si votre relation était formidable quand vous êtes victime d'abus, ou de prétendre que votre voiture est en parfait état quand elle tombe en morceaux et que vous projetez un voyage à travers le pays ? Certainement pas. Dans ces cas-là, vous devez agir pour faire face à la situation.

Faire *comme si* est une stratégie qui s'applique aux situations où votre sécurité n'est pas menacée et où vous voulez transformer votre ressenti. Quand vous êtes stressée ou angoissée, que vous vivez de l'ennui, de l'insécurité ou tout autre sentiment difficile, vous pouvez améliorer votre situation en modifiant votre humeur, et ainsi, votre expérience. Agissez simplement *comme si* vous ressentiez déjà ce que vous souhaitez ressentir.

Pourquoi ne pas tenter l'expérience et *agir* pour vous libérer de vos angoisses et regagner votre sérénité ? Ne vous inquiétez pas si la transformation n'est pas instantanée. Lors de ce dîner, il aura quand même fallu quatre ou cinq éclats de rires forcés pour que ce ne soit plus une simulation et que l'allégresse prenne réellement la relève. Persévérez : vous pouvez être à la fois détendue et confiante en faisant *comme si* vous l'étiez déjà.

91

Écrivez-le

Libérez-vous des angoisses qui vous rongent grâce à la plume.

L'écriture est un outil simple et efficace pour bannir le stress en quelques minutes. Coucher ses angoisses sur papier est un excellent moyen pour lâcher prise et calmer son esprit. C'est une forme de désintoxication mentale grâce à laquelle on se libère de ses inquiétudes en les formulant par écrit, dégageant ainsi l'espace nécessaire à l'émergence de nouvelles pistes de solution. On ne peut arriver à cette éventualité en se contentant uniquement de *réfléchir* à ses problèmes ; il faut les écrire pour les *voir*. C'est seulement à partir de là qu'on peut trier le bon grain de l'ivraie.

Si vous êtes comme beaucoup de femmes et que vous avez déjà écrit « cher journal » dans le haut d'une page blanche, vous savez à quel point le processus est puissant. Néanmoins, il est important de comprendre la différence entre écrire, dans un but précis de gestion de ses angoisses, et tenir un journal. Contrairement au journal où vous rapportez les événements de votre vie, il y a un secret lié à l'écriture destinée à réduire l'anxiété : vous devez exprimer les *sentiments* que les événements du quotidien ont fait naître en vous.

Une des meilleures façons d'entrer dans l'exercice consiste à commencer par la phrase « aujourd'hui, j'ai ressenti… ». Ne soyez pas étonnée si la tâche est malaisée au début. Beaucoup de gens consacrent énormément de temps à étouffer et à éviter leurs sentiments d'anxiété ; donnez-vous donc un certain temps pour laisser émerger vos émotions. Elles sont peut-être enfouies profondément !

Installez-vous confortablement et dites-vous ceci : *Je vais rester assise dix ou quinze minutes et je vais écrire. Je vais faire plus qu'énumérer les événements. Je vais enlever, couche par couche, les distractions, mes pensées, mes angoisses et mes perceptions jusqu'à ce que j'atteigne mes véritables émotions.*

Au début, vous aurez peut-être l'impression qu'exhumer vos véritables sentiments crée plus de désordre dans votre esprit que cela n'en élimine. Néanmoins, le processus d'écriture ressemble au ménage d'une penderie incroyablement désordonnée : vous devez d'abord en sortir tout ce qui s'y trouve. Si vous vous arrêtez là, vous aurez l'impression d'avoir seulement empiré le désordre. Pourtant, à mesure que vous jetterez ce qui ne vous sert plus et que vous classerez ce qui vous sert encore, il deviendra rapidement apparent que vous aurez libéré un nouvel espace. La pagaille initiale était une étape précieuse et essentielle du processus.

En plus de vous permettre de vous libérer de vos angoisses, l'écriture vous offre aussi l'opportunité d'exprimer vos véritables sentiments, d'avouer vos pensées les plus secrètes et de faire état de vos inquiétudes, sans jugement ni interruption. Pourtant, il est intéressant de constater que beaucoup de gens font quand même attention à ce qu'ils écrivent, car ils craignent qu'on trouve leur journal. À l'évidence, refouler vos émotions en censurant votre écriture va à l'encontre du but poursuivi, mais il y a une bonne nouvelle : vous n'êtes pas obligée de conserver ce que vous avez écrit pour profiter des bienfaits de l'exercice. En fait, vous pouvez très bien griffonner vos sentiments sur un bout de papier, le déchirer et le jeter : vous verrez quand même votre anxiété diminuer. Votre cerveau enregistre les bienfaits du « nettoyage des placards » ; par contre, rien ne l'oblige à s'accrocher aux sacs à ordures.

Rappelez-vous ceci : si écrire sur votre ressenti devient trop douloureux ou vous bouleverse trop sur le plan émotionnel, vous aurez peut-être intérêt à recourir à l'aide d'un professionnel. Vous aurez possiblement envie d'abandonner et de ne pas tenir compte de vos émotions, mais vous ne gagnerez rien à les balayer sous le tapis. Ces émotions sont le signe que vous avez touché à quelque chose qui exige votre attention. En obtenant de l'aide professionnelle pour faire face à vos difficultés, vous pourrez vous libérer de vos angoisses et vraiment avancer dans la vie.

Après avoir décrit vos émotions et vos préoccupations pendant dix à quinze minutes, terminez l'exercice sur une note positive en énumérant trois à cinq choses qui suscitent votre reconnaissance. En vous concentrant sur ce que vous aimez, vous ajusterez le cours de vos pensées, vous retrouverez une certaine objectivité et vous vous rappellerez que votre vie comporte bien d'autres choses que ce qui vous angoisse présentement.

La prochaine fois que vous serez envahie par l'anxiété, attrapez du papier et un stylo et videz-vous le cœur. Regardez en vous et faites monter à la surface vos véritables sentiments ; vous serez étonnée de constater à quel point l'exercice vous apportera du calme et de la satisfaction. Jetez vos angoisses sur papier pour retrouver la paix et la joie qu'elles refoulent.

Découvrez vos dons et faites-les fructifier

En vous servant de vos dons, vous ajouterez à votre quotidien une dimension de plaisir et de paix incroyable.

Mon amie Lisa recevait des traitements contre le cancer depuis environ quatre ans le jour où elle m'a dit qu'une de ses amies lui avait cuisiné une soupe absolument délectable. Au cours de notre conversation téléphonique, Lisa m'a raconté que chaque semaine depuis le début de ses traitements, cette amie lui apportait de la soupe maison. J'étais sincèrement heureuse que quelqu'un lui ait cuisiné de bons repas ; en même temps, j'étais honteuse de ne pas y avoir moi-même songé. J'ai dit à Lisa que j'étais désolée de ne pas lui avoir cuisiné de soupe. Elle m'a répondu : « Mais Denise, tu me fais *rire.* »

Ce jour-là, elle m'a rappelé deux vérités essentielles :

1. Nous avons toutes des talents différents.

2. Il faut arrêter d'essayer d'être bonne dans tout.

Regardons les choses en face : personne n'excelle *en tout.* Par contre, chacune de nous a un don *bien à elle.* Quand on cesse de vouloir tout faire à la perfection, on a du temps et de l'énergie pour apprécier et faire fructifier son propre don.

Il est impératif que vous découvriez vos talents et que vous les mettiez à profit. C'est une façon d'intégrer le plaisir à l'existence, car rien ne vaut la joie de faire ce que l'on aime et de bien le faire. Et les bienfaits ne s'arrêtent pas là :

quand vous utilisez votre don, vous cessez de vous inquiéter à propos de l'avenir et de regretter le passé, parce que vous vous immergez totalement dans le présent. Or, quand on apprend à vivre pleinement au présent, l'incertitude de l'avenir et les regrets du passé disparaissent.

Si vous ne savez pas encore quel est votre *truc* à vous, un bon point de départ pour votre recherche sera de vous souvenir de votre enfance. Remémorez-vous votre enfance. Quelle était votre activité préférée à l'époque ? Si vous ne vous en souvenez pas, regardez de vieilles photos : les indices que vous y découvrirez vous étonneront.

Je l'ai appris de première main, un Noël, quand ma fille Lindsay m'a donné un album photos qu'elle avait confectionné à mon intention. Sur une des photos, j'ai douze ans et je me tiens devant un tableau d'affichage où sont étalés les prix que j'ai gagnés à l'école élémentaire ; entre autres, trois prix soulignant mon talent d'oratrice. J'ai été surprise, car je ne me souvenais pas de ces récompenses. Et voilà qu'aujourd'hui, j'exerce la profession de conférencière ! Même si je ne me rappelle pas de ces événements, je me rappelle que j'avais la langue tellement bien pendue que les adultes me payaient pour que je me taise ! En fouillant dans vos souvenirs d'enfance, vous pourrez probablement découvrir plusieurs indices quant à la nature de vos habiletés innées.

Abraham Maslow, le créateur de la célèbre pyramide des besoins, a écrit : « S'il veut être en paix avec lui-même, un musicien doit faire de la musique, un peintre doit faire de la peinture, un poète doit écrire. Il doit être ce qu'il peut être. » C'est aussi vrai pour la femme que pour l'homme ! Prenez un moment pour vous demander ce que *vous* devez être. Quel don unique est le vôtre ? Avez-vous la bosse des affaires ? Êtes-vous une communicatrice née ? Excellez-vous dans le sport ? Pouvez-vous tailler un tapis comme personne ?

Si vous pensez que vous n'avez pas de talent du tout, je vous rassure : vous en avez un, c'est indiscutable. N'oubliez pas que chacun a du talent pour *quelque chose*. Une fois que vous aurez trouvé le vôtre, découvrez des moyens de l'exprimer. Que vos soupes soient les meilleures, votre humour irrésistible ou que vous ayez un autre talent tout aussi précieux, faites-le fructifier et partagez-le. Vous ajouterez alors à votre quotidien une dimension de plaisir et de paix incroyable.

Faites une bonne action

Vous pouvez améliorer votre humeur quand vous le voulez ;
il vous suffit de faire une bonne action.

J'étais au centre de renseignements de Disney World quand j'ai entendu un homme paniqué expliquer à un employé qu'il avait perdu son passeport et son porte-monnaie. Tandis que le pauvre homme retraçait son itinéraire avec un fort accent australien, un Américain s'est présenté au comptoir ; il rapportait un porte-monnaie et un passeport australien qu'il venait de trouver près d'un manège. Le soulagement du premier homme et sa reconnaissance envers le second étaient tellement grands que j'étais moi-même euphorique quand j'ai quitté le comptoir. Même si ce n'était pas moi qui avais retrouvé ses biens, ni à moi qu'on les avait rapportés, j'étais d'humeur formidable. Pourquoi ?

Dans son livre *Le pouvoir de l'intention*, le docteur Wayne Dyer explique que les bonnes actions déclenchent une augmentation de la production de sérotonine par le cerveau. Ce neurotransmetteur — élément biochimique de l'organisme — contribue à soulager la dépression et induit des états de paix et d'euphorie. L'auteur explique qu'on observe cette augmentation de sérotonine non seulement chez la personne qui fait la bonne action et chez celle qui en bénéficie, mais aussi chez les témoins de l'événement. J'étais euphorique parce que mon taux de sérotonine avait augmenté devant la scène à laquelle je venais d'assister. Comment cette réaction chimique peut-elle vous aider à vous libérer de vos angoisses ? Essayez de ressentir de l'anxiété et de l'exaltation en même temps : c'est pratiquement impossible !

Après avoir lu ce chapitre du *Pouvoir de l'intention*, je me suis lancée dans un blitz de bonnes actions pour voir si je ne pourrais pas revivre cette merveilleuse euphorie. J'ai d'abord choisi pour cible le professeur de ma fille Brianna, en classe de cinquième année. Avant d'aller prendre Brianna à l'école, je me suis arrêtée chez un fleuriste et j'ai acheté un bouquet. Une fois à l'école, je me suis rendue dans la classe de ma fille et j'ai offert les fleurs à son professeur. Elle a ouvert grands les yeux : « Savez-vous quel jour on est ? » J'ai dit que je n'en savais rien. Elle m'a répondu : « C'est le jour de mon anniversaire ! » En entendant ces mots, je crois que mon taux de sérotonine a quadruplé. J'étais aux anges !

Voulez-vous améliorer votre humeur ? Si c'est le cas, réfléchissez à ce que vous pourriez faire comme bonnes actions. Soyez créative et amusez-vous. Vous pourriez, par exemple, laisser de la monnaie dans la sébile de remboursement du téléphone public ou de la distributrice de boules de gomme. Imaginez le plaisir de la personne qui trouvera votre cadeau surprise ! À l'épicerie, quand vous attendez avec un plein panier de provisions de passer à la caisse, laissez passer devant vous la personne qui n'a que quelques articles. Ou alors faites quelque chose pour la planète en recyclant davantage ou en plantant un arbre. Toute bonne action, qu'elle soit petite ou grande, vous reviendra sous forme de bonheur. Cherchez à faire du bien à votre entourage ; l'exaltation que vous ressentirez dissipera beaucoup de vos inquiétudes. Essayez, vous serez étonnée des résultats !

Demandez de l'aide

*Apprenez à demander de l'aide quand vous en avez besoin
et à accepter celle qu'on vous offre.*

Terry, mon mari, traversait un carrefour très passant en voiture quand il a remarqué un canard au milieu de la route. Ayant vraisemblablement été heurté par une automobile, le pauvre volatile gisait sur le dos et agitait frénétiquement les pattes ; il essayait de se retourner, affolé par les véhicules filant à toute vitesse autour de lui. Terry a compris que s'il ne le sortait pas de là, le canard allait se faire écraser.

Mon mari s'est rangé sur l'accotement avant de courir ramasser le canard pour le rapporter dans sa camionnette. Il était clair que le pauvre animal était blessé à l'aile : Terry s'est donc rendu jusqu'à une clinique vétérinaire non loin de là, mais elle était fermée. Il a traversé la ville pour se rendre dans une autre clinique, heureusement ouverte, mais quand il est entré, on lui a dit qu'on ne soignait pas les canards.

Déterminé à sauver le volatile, Terry l'amena à son bureau où il passa un coup de fil à l'association locale de protection de la faune. On lui dit qu'on serait heureux de l'aider et on lui demanda de passer le lendemain. Soulagé, Terry accepta. Entre-temps, le canard avait besoin d'un gîte : mon mari le ramena donc à la maison pour la nuit, niché sur une couverture et en sécurité dans une grande boîte. Tôt le lendemain, Terry conduisit le canard au bureau de l'Association, situé à une heure de route. Comme il avait fait tout ce qu'il pouvait pour l'oiseau, il lui fit ses adieux et repartit en le laissant entre des mains compétentes.

Avant que mon si généreux mari ne quitte la maison ce matin-là, j'ai jeté un dernier coup d'œil dans la boîte.

Voyant le canard au repos, j'ai pensé à l'épreuve que les douze dernières heures lui avaient fait vivre. Tout à coup, j'ai *su* comment il avait dû se sentir, couché sur le dos au beau milieu de la route. Il m'était déjà arrivé de me sentir dans la même situation. Toutefois, ce n'était pas à une voiture que je devais ma chute, mais à ma liste de choses à faire… et c'étaient les jours qui me dépassaient à toute vitesse, pas les voitures !

Vous arrive-t-il de vous sentir ainsi ? Avez-vous parfois le sentiment que vous avez trop de choses à faire et que vous manquez de temps ? Assistez-vous, démunie, au passage des semaines, avec le sentiment que vous risquez d'être écrasée à tout moment ? Si c'est le cas, vous n'êtes pas la seule. Les femmes jouent généralement des rôles multiples — soignante, mère, propriétaire d'entreprise, employée, activiste dans la collectivité, épouse, partenaire, amie — la liste est interminable. Trouver un équilibre entre ses obligations professionnelles et familiales est souvent extrêmement exigeant et accablant. Quand on se sent surchargée, l'épuisement physique et mental peut s'installer et c'est précisément là que l'angoisse risque de surgir. La bonne nouvelle, c'est qu'on peut franchir l'intersection passante sans courir de danger. Parfois, il suffit d'un coup de main.

Nous avons tous besoin d'un peu — ou de beaucoup — d'aide de temps à autre. Mais, pour une raison étrange, beaucoup n'en demandent pas, ou pis, n'acceptent pas celle qu'on leur offre, parfois sur un plateau. J'avais pour habitude de prétendre que je n'avais jamais besoin d'aide ; beaucoup de femmes le font. Dans mon cas, il fallait, entre autres actions, que je relâche mon contrôle sur les choses. J'ai déjà souscrit à la croyance selon laquelle « on n'est jamais aussi bien servi que par soi-même ». Néanmoins, au fil des années, j'ai découvert qu'en certaines circonstances, si vous voulez qu'une chose se fasse *effectivement*, vous devez laisser quelqu'un d'autre s'en charger.

Comment faire pour résorber ce besoin de contrôle et accepter l'aide dont vous avez besoin pour biffer quelques points de votre liste de tâches avant qu'elle ne vous dépasse ? Pensez *progrès* plutôt que *perfection*. Je suis la première à admettre qu'en acceptant de se faire aider, ce qu'il y a à faire ne sera peut-être pas fait exactement comme on l'aurait voulu. Mais le résultat sera parfois meilleur que ce qu'on aurait fait soi-même. D'une façon ou d'une autre, la tâche a été accomplie et on peut passer à autre chose.

Par ailleurs, j'hésitais à accepter qu'on m'aide parce que je craignais d'admettre que j'étais incapable de tout faire. Je pensais que j'étais, d'une certaine façon, incompétente. Eh bien ! Voici un message : demander de l'aide ne signifie pas qu'on est incompétent, seulement humain. Ne laissez pas vos perceptions erronées vous jouer des tours. Personne n'est capable de tout faire, tout seul, en tout temps. En fait, penser ainsi vous conduit droit vers le désastre. Orientez-vous plutôt vers le succès en réfléchissant à la vérité suivante, une vérité que j'ai adoptée : *Je peux faire n'importe quoi, mais je ne peux pas tout faire.* Vous pouvez réellement accomplir tout ce que vous voulez, mais il arrive parfois qu'à l'instar de notre canard, vous ayez juste besoin d'un petit coup de pouce en chemin.

Rappelez-vous ceci : si vous vous sentez dépassée par ce que vous avez à faire, pensez progrès plutôt que perfection. Demandez de l'aide si vous en avez besoin et acceptez celle qu'on vous offre. Cette main tendue suffira peut-être à vous faire retomber « sur vos pattes », à quitter un carrefour passant et à reprendre le cours de votre vie.

Réconciliez-vous avec votre passé

Pour que l'angoisse du passé vous quitte,
vous devez d'abord vous réconcilier avec lui.

Imaginez que vous vous préparez à retourner chez vous à la fin de vos vacances et que vous avez de la difficulté à faire tenir tous vos effets dans votre valise. Avant de partir, vous aviez soigneusement planifié et tout se rangeait proprement et facilement. Mais là, c'est une autre histoire ! Durant vos vacances, vous avez entassé des souvenirs, des trésors et des gâteries ; vous avez acheté des présents à vos proches ainsi que quelques vêtements. Résultat : il est pratiquement impossible de tout faire entrer dans une seule valise. J'ai déjà vécu une situation de ce genre ; en fait, je suis allée jusqu'à acheter une autre valise pour pouvoir boucler mes bagages !

Au fil des années, j'ai pris conscience que les bagages de vacances et le bagage émotionnel ont beaucoup en commun. Quand on entame le voyage de la vie, tout est à sa place. L'ardoise est nette ; on va, l'esprit ouvert, prêt à s'aventurer pour expérimenter le monde. Mais, à mesure que le temps passe, on commence à accumuler des choses. On accumule des expériences, des leçons, des perceptions, des idées, des croyances et divers autres fardeaux. À la fin du voyage, comme à la fin des vacances, on se retrouve avec plus d'effets qu'au départ.

Bien que bagage émotionnel et bagage de vacances présentent une similitude, ils sont aussi très différents. Après un long voyage, vous défaites ces valises une fois de retour à la maison. Vous offrez vos cadeaux à vos proches ; vous lavez vos vêtements et vous les rangez. Vous mangez les gâteries, exposez vos souvenirs et faites développer vos photos. Et vous rangez votre valise vide, prête pour votre prochaine aventure.

Ce n'est pas le cas des émotions, qu'on semble ne jamais déballer. On garde ses regrets, ses erreurs et les défauts qu'on s'attribue enfouis en soi. On enferme sa souffrance à double tour jusqu'à ce qu'on finisse par craquer. Au bout du compte, la « valise » devient si lourde et si pleine qu'elle écarte le bonheur. Pour reprendre contact avec votre joie et cesser de vous inquiéter à propos du passé, vous devez vous réconcilier avec lui. Vous devez vider vos valises émotionnelles.

C'est ce que mon amie Sally Walker m'a appris. Sally travaille dans un refuge pour itinérants. Un jour, après avoir cuisiné la meilleure soupe de sa vie, elle jubilait : *Elle est fantastique ! L'odeur et le goût sont exquis ; c'est la meilleure soupe que j'aie jamais faite.* Tout en la servant avec du pain chaud aux personnes venues au refuge ce jour-là, Sally s'émerveillait de la perfection de sa création. Son quart de travail n'était pas commencé depuis longtemps quand une petite et vieille dame l'a hélée depuis le fond de la cuisine : elle souhaitait lui parler. C'était Mère Teresa !

Sally s'est dit : *Oh ! Je sais pourquoi. Mère Teresa a goûté ma soupe, et elle veut me dire à quel point elle l'a trouvée bonne.* Elle s'est donc approchée avec empressement de la sainte femme. Celle-ci lui a dit : « Voyez le dégoût avec lequel vous servez ces gens. Ne pouvez-vous pas voir que chaque personne est meurtrie ? Certaines le sont à l'extérieur, là où tout le monde peut le constater, et d'autres le sont à l'intérieur, mais *tout le monde* est blessé. Imaginez que vous prenez tous ces êtres brisés et que vous les rassemblez pour former une très, très belle mosaïque. Vous devez rentrer chez vous jusqu'à ce que vous soyez capable de voir cette belle mosaïque.

Sally était sidérée. Elle pouvait difficilement croire qu'elle venait d'être congédiée de la Soupe populaire par Mère Teresa. De retour chez elle ce soir-là, Sally a réfléchi à ce que Mère Teresa lui avait dit. *Avait-elle* servi les gens avec dégoût ? Elle prit conscience qu'involontairement c'est ce qu'elle avait fait. Elle avait quelquefois pensé : *Oh ! S'il vous plaît, ne me touchez pas ; vous êtes tellement sale !* ou *S'il vous plaît, avancez plus rapidement, vous sentez mauvais.* Tout ce que Sally avait vu chez ces gens, c'était ce qu'ils avaient de brisé ; or, ce soir-là, elle s'est mise à entrevoir la belle mosaïque.

Quand Sally m'a rapporté cette anecdote marquante, je me suis rendu compte que je n'étais pas seule, que les mots de Mère Teresa décrivait tous les êtres humains. Chacun traîne son bagage émotionnel. Certains le portent à l'extérieur, où il se voit facilement, et d'autres le gardent enfoui en eux. Que cela se voie ou pas, nous sommes tous amochés.

Comprenez-vous ce que cela signifie ? Vous n'avez pas besoin de dissimuler vos défauts ou de vous punir de vos erreurs. Vous êtes exactement comme tout le monde ici-bas : une pièce de la belle mosaïque ! Voilà où se cache le secret de la réconciliation avec le passé : pardonnez-vous. Ne vous jugez pas sévèrement pour vos erreurs passées. Vous n'êtes pas seule : nous faisons tous partie de cette belle mosaïque. Il est temps de vous défaire de votre « valise émotionnelle » et de faire de la place à une formidable nouvelle aventure.

Croyez que tout finira par s'arranger

*Calmez votre esprit dès maintenant
en imaginant le meilleur pour demain.*

Je me souviens d'un séjour à l'hôpital, à l'adolescence, où j'ai vécu des douleurs atroces à cause d'une terrible infection à la jambe. Allez savoir comment, quatre jours auparavant, je m'étais enfoncé un couteau à steak profondément dans le genou droit. J'avais douze ans et je ne faisais pas attention à ce que je faisais, jusqu'à ce que je voie le couteau planté de côté dans ma jambe. Je l'ai arraché en hurlant et j'ai crié pour que ma sœur appelle l'ambulance. Ma soeur m'a fait un garrot avec une serviette de table, puis elle a téléphoné à ma mère au travail afin qu'elle vienne me chercher pour me conduire à l'hôpital. Là, on a mis un pansement sur ma blessure et on m'a renvoyée chez moi.

Le lendemain, mon genou faisait vraiment très mal. Je me déplaçais en boitant et en me plaignant de la douleur, mais ma famille pensait que j'exagérais pour attirer l'attention. Comme ma blessure n'avait même pas exigé de points de suture, c'était une supposition raisonnable. Raisonnable, mais incorrecte. Je n'exagérais pas, et au soir du troisième jour, mon genou avait plus que doublé de volume. Je souffrais tellement que j'étais incapable de me lever ; il était maintenant évident que je ne cherchais pas à m'attirer la sympathie de qui que ce soit.

Comme j'étais incapable de bouger sans hurler de douleur, ma mère a appelé une ambulance pour qu'on me transporte à l'hôpital. Une fois sur place, constatant combien je souffrais, les ambulanciers ont suggéré à ma mère de mettre de la glace sur l'articulation plutôt que de me déplacer. Ils ont supposé que je n'avais rien de grave et qu'il ne faudrait que de la glace pour résorber l'enflure — autre supposition incorrecte. Le lendemain, après une nuit enveloppé de glace, mon genou était encore pire ; il était rendu tellement enflé qu'il était plus gros que ma tête.

Mon beau-père a déclaré que la situation était ridicule et qu'il m'emmènerait lui-même à l'hôpital. Ma mère et lui m'ont transportée, sanglotante, de ma chambre à l'étage jusqu'à la voiture et m'ont conduite à l'hôpital. L'infirmière qui nous a reçus m'a jeté un seul regard : en quelques minutes, j'étais dans une salle d'examen et un essaim de médecins bourdonnait autour de ma jambe. J'étais soulagée qu'on m'aide enfin. J'étais certaine qu'on me remettrait d'aplomb dans le temps de le dire. J'ignorais qu'au même moment, un médecin parlait à ma mère dans le corridor et lui expliquait qu'il faudrait de toute évidence m'amputer la jambe. Cette éventualité ne m'avait même pas traversé l'esprit. À douze ans, je croyais qu'on allait à l'hôpital pour guérir, non pour se faire enlever des morceaux !

Heureusement, comme elle n'était pas chaude à l'idée, ma mère a demandé aux médecins de commencer par faire tout leur possible pour éviter l'amputation. Ils ont accepté de m'administrer des antibiotiques par intraveineuse, en l'avertissant qu'ils ne pourraient le faire que très peu de temps, puisque le risque de propagation de l'infection deviendrait trop élevé. Une intervention chirurgicale fut prévue pour le lendemain afin de drainer une partie du liquide accumulé dans mon genou. Je fus installée dans une chambre pour la nuit, et, même si la douleur était intolérable, je me réconfortais en pensant que j'irais mieux bientôt.

Après une nuit de médication, l'enflure a commencé à se résorber ; l'opération a été retardée de vingt-quatre heures. Le troisième jour, je ressentais encore d'atroces douleurs en bougeant la jambe, mais mon genou allait *mieux*. Les médecins étaient stupéfaits. L'opération fut remise au lendemain, puis au surlendemain, et ensuite, au jour d'après. Une semaine plus tard, sans qu'une chirurgie ait été nécessaire, j'étais guérie et on me donnait mon congé de l'hôpital. Je suis retournée à la maison en béquilles et en boitant, certes, mais sur mes *deux* jambes. Un mois après, je courais à nouveau comme si toute cette épreuve n'avait jamais eu lieu. C'est uniquement à ce moment-là que ma mère m'a expliqué à quel point on avait été proche de m'amputer.

Cette expérience illustre encore une fois l'importance de contester ses hypothèses. Des suppositions inexactes m'ont presque coûté une jambe. Néanmoins, il y a un autre message, tout aussi important : il faut croire que tout finira bien. Cela s'avère juste tout le temps :

- Une femme atteinte d'un cancer apprend de son médecin qu'elle est entrée en rémission.

- Une femme éprouvant de la difficulté à enfanter apprend qu'elle est enceinte ou adopte son premier enfant.

- Une femme à qui on a dit qu'elle ne marcherait plus jamais quitte son fauteuil roulant et fait ses premiers pas.

- Ma mère, à qui l'on avait dit qu'il faudrait peut-être amputer la jambe de son enfant, a cru que tout pouvait bien finir quand elle a demandé aux médecins de tout faire pour éviter l'opération. Un mois plus tard, elle regardait son enfant en santé courir sur ses *deux* jambes.

Quand vous vivez une situation angoissante, calmez votre esprit en reconnaissant que tout peut très bien finir par s'arranger pour vous aussi.

Comprenez-moi bien : je ne vous suggère pas de croire à une conclusion féerique du genre « ils vécurent heureux », où prince et princesse vivent pour toujours dans une harmonie éternelle. Nous savons tous qu'à côté des triomphes, des victoires, de la joie et de la béatitude de la vie, nous vivrons des obstacles, des déceptions, de la tristesse et du chagrin. C'est un élément essentiel de la vie : s'il n'y avait que des hauts et jamais de bas, nous ne grandirions pas.

Et, contrairement au conte de fée, votre vie n'a pas qu'un seul fil narratif. Elle compte une multitude d'histoires, toutes composées de très nombreux chapitres comportant tous un début et une fin. Quand vous affrontez une période difficile, croyez que tout finira par s'arranger. Songez à dissiper vos angoisses en croyant que tout finira bien, au lieu de gaspiller votre énergie à vous tourmenter à propos du pire.

On perd beaucoup trop de temps à s'inquiéter de ce qui ne se produira finalement jamais. C'est pourquoi on dit : « On franchira le pont quand on arrivera à la rivière. » Croire que tout finira par s'arranger vous aidera à suivre ce conseil des plus sages. Qu'arrive-t-il si après avoir cultivé l'espoir, vous êtes confrontée à une fin moins heureuse ? Doit-on considérer comme une perte de temps le fait de se concentrer sur ce qui pourrait arriver de mieux? Pas du tout. Comme je l'ai déjà mentionné, l'angoisse n'aurait pas contribué au résultat ni changé l'issue de la situation, car aucune anxiété n'améliorera jamais vos lendemains. Par contre, ce que vous pouvez faire, c'est améliorer aujourd'hui en imaginant que tout ira pour le mieux demain.

Quand vous affrontez une situation difficile, contestez vos hypothèses, agissez sur ce que vous pouvez contrôler, et ensuite, cessez de vous inquiéter. Chaque fois que je regarde la petite cicatrice sur mon genou droit et que je pense au vibrant plaidoyer de ma mère, je sais que tout peut finir par s'arranger. Croyez qu'il en sera de même pour vous.

Appliquez l'une des quarante-trois stratégies de lâcher-prise

Quand il s'agit de lâcher prise sur ses angoisses, certains petits gestes peuvent beaucoup vous aider. Si vous avez fait tout ce que vous pouviez face à une situation préoccupante, appliquez les stratégies suivantes qui vous aideront à lâcher prise.

1. Énoncez des affirmations positives. Vos pensées sont plus puissantes que vous ne le croyez. En fait, vous matérialisez souvent le résultat de vos pensées. Vivez donc dans le calme et la joie en affirmant vos côtés positifs. Ainsi, plutôt de dire que vous ne serez jamais capable d'arrêter de vous faire du souci, affirmez : *C'est facile de lâcher prise. Je lâche prise facilement et joyeusement.* Au lieu de vous fustiger pour ce que vous percevez comme vos défauts, affirmez : *Je m'aime et j'ai une bonne opinion de moi-même. Je suis complète et parfaite, exactement comme je suis.* L'exercice demande de la pratique, mais l'effort en vaut certainement la peine. En fait, vous améliorerez beaucoup votre qualité de vie en choisissant de vous parler de façon aimante et nourricière.

2. Ayez recours à l'aromathérapie. Grâce aux huiles essentielles odorantes, ce traitement holistique contribue à calmer le corps et l'esprit. Quatre huiles essentielles en particulier sont réputées pour leur efficacité quand il s'agit de diminuer l'anxiété et d'encourager la détente : la lavande, le géranium, l'orange et la vanille. Voici quelques trucs fort simples grâce auxquels vous pourrez intégrer l'aromathérapie dans votre quotidien :

- Quand vous achetez des produits ménagers — détergent, purificateur d'air ou savon pour le corps — optez pour ceux à la lavande, au géranium, à l'orange ou à la vanille.

- Faites brûler une chandelle parfumée à l'une de ces quatre essences, à la maison ou au travail.

- Pour un effet maximal sur les plans mental, émotionnel et spirituel, ajoutez quelques gouttes d'une huile essentielle de qualité à l'eau chaude d'un bain ou faites-la pénétrer directement dans l'épiderme par le massage. Vous constaterez qu'en dépit de l'apparente simplicité de la chose, l'odeur apaisera votre esprit préoccupé.

3. Soyez aventureuse. À quand remonte la dernière fois où vous avez essayé quelque chose de nouveau ? Suivez un cours de danse sociale, essayez l'escalade ou apprenez une langue étrangère — faites simplement quelque chose qui vous intéresse. Pour apprendre, il faut se concentrer. C'est la même chose quand on s'inquiète. En travaillant à acquérir une nouvelle habileté, vous détournerez votre attention de vos problèmes pour vous concentrer sur quelque chose de productif. Vous réussirez non seulement à réduire votre anxiété, mais vous serez aussi entraînée dans la passion, l'ivresse et l'enthousiasme qui vont de pair avec l'audace et les nouvelles expériences.

4. Soyez reconnaissante. Dressez la liste de tout ce dont vous êtes reconnaissante. Vous ferez naître beaucoup de bonheur et de calme dans votre esprit en vous concentrant sur vos bienfaits plutôt que sur vos regrets ou vos préoccupations. Prenez quelques minutes au début ou à la fin de chaque jour pour réfléchir à votre abondance et en éprouver de la gratitude.

5. Soyez vous-même. À votre avis, qui devriez-vous être : une super maman, une conjointe idéale, un cadre musclé ou une reine de beauté ? Y a-t-il une différence entre la femme que vous êtes *réellement* et celle que vous pensez *devoir* être ? Quand on essaie de travestir sa véritable nature, on réduit à néant sa sérénité. Ne perdez pas votre temps à essayer de remplir le moule de quelqu'un d'autre : soyez vous-même et sachez que vous en valez la peine !

6. Respirez. Quand on angoisse, on a tendance à retenir son souffle ou à respirer superficiellement. Cette réaction entraîne une tension musculaire et réduit la quantité d'oxygène qui parvient aux cellules du cerveau. Or, il ne sert à rien de se le cacher : quand on s'inquiète, le cerveau a besoin de tout l'oxygène possible !

Arrêtez-vous un moment et permettez à votre corps et à votre esprit de se détendre en prenant quelques respirations lentes et profondes. Détendez votre abdomen et laissez-le se gonfler tandis que la partie inférieure de vos poumons se remplit d'air. Assurez-vous de garder votre poitrine et vos épaules immobiles. (Si elles bougent plus que votre abdomen, c'est que vos inspirations ne sont pas assez profondes.) Laissez votre poitrine et vos épaules se détendre, puis inspirez encore une fois profondément et complètement pour remplir la partie inférieure de vos poumons.

Il existe plusieurs techniques de respiration profonde efficaces. J'en utilise une régulièrement, que je trouve très bénéfique. Il s'agit d'inspirer par le nez en quatre temps, de retenir l'inspiration pendant deux temps et d'expirer par la bouche en quatre temps. Le simple fait de compter chaque étape distraira momentanément votre esprit des angoisses qui vous ont coupé le souffle au départ.

Commencez à intégrer cette stratégie, ou une stratégie similaire, dans votre routine quotidienne. Vous serez étonnée de constater à quel point cette pratique vous aidera à vous sentir détendue, calme et l'esprit clair, même face au chaos et à l'affolement du monde environnant.

7. Occupez-vous. Face à une situation qui vous laisse démunie ou que vous croyez impossible à changer, faites quelque chose de constructif plutôt que de vous affliger : jouez avec vos enfants, planifiez votre semaine, faites le ménage des placards, tondez le gazon ou allez faire vos courses à l'épicerie — occupez-vous ! Vous oublierez vos soucis et, par la suite, vous serez heureuse d'avoir agi au lieu de vous inquiéter.

8. Consommez des aliments riches en vitamines du complexe B. Dans notre monde frénétique de repas rapides, beaucoup de gens souffrent de carences en vitamines et en minéraux essentiels. L'anxiété, l'inquiétude et la dépression peuvent être causées par une carence en vitamines B_6 et B_{12}. Afin de vous assurer que votre alimentation vous fournit suffisamment de ces puissants nutriments, consommez des bananes, du jus de légumes, des céréales de grains entiers enrichies, du poulet, du saumon, des pommes de terre au four, des œufs, des épinards et du lait, qui sont tous de bonnes sources de vitamine B_6.

S'assurer un apport suffisant de B_{12} est un peu plus compliqué, étant donné qu'on n'en retrouve généralement pas dans les végétaux. Cependant, cette vitamine est présente dans les produits animaux comme le bœuf, la volaille, le poisson et le lait. Comme il est plus difficile de s'assurer qu'on consomme suffisamment de B$_{12}$, les suppléments sont une bonne solution de rechange. Informez-vous cependant auprès d'un professionnel de la santé avant de prendre des comprimés ou des poudres. Dans le cas des vitamines, un surplus de l'une ou de l'autre peut engendrer de dangereux effets secondaires, alors qu'avec la posologie qui convient, les bénéfices seront remarquables.

Il existe certainement d'autres nutriments qui peuvent contribuer à votre épanouissement physique et émotionnel : procédez à quelques recherches personnelles, ou consultez la bibliothèque de votre localité, une nutritionniste, un naturopathe ou votre médecin de famille. Vous le constaterez facilement : les vitamines et les minéraux peuvent vous aider à vivre sans angoisse !

9. Créez une œuvre d'art. Peignez, confectionnez un album personnalisé, modelez un objet à partir d'un bloc d'argile, écrivez un poème. En vous exprimant par l'art, vous diminuerez votre anxiété et retrouverez votre calme.

10. Affrontez ce qui vous effraie. Nous avons presque toutes peur d'une chose ou d'une autre. Certaines femmes ont peur de ne pas s'intégrer, d'autres de ne pas ressortir de la masse ; certaines craignent l'échec, d'autres le succès. Tout le monde ressent de la peur à un moment ou à un autre. C'est une émotion parfaitement naturelle, aussi est-il normal d'avoir peur. Cependant, assurez-vous que votre crainte ne se transformera pas en angoisse qui anéantira votre audace. En ne risquant rien, vous ratez énormément d'opportunités formidables.

S'il y a dans votre vie un élément que vous repoussez parce que vous êtes paralysée par la peur, libérez-vous de votre angoisse en faisant exactement ce qui vous effraie. Votre frayeur diminuera dès lors, car vous découvrirez que ce qui vous fait peur est généralement moins effrayant que ce que vous aviez imaginé. Entendez-moi bien : je ne vous recommande pas de courir des risques insensés. Si vous avez peur des serpents à sonnette, je ne vous suggère pas de sauter devant l'un d'eux et de lui offrir l'un de vos orteils en guise de hors-d'œuvre. Néanmoins, si vous avez toujours voulu aller en randonnée dans le Grand Canyon, ne laissez pas votre crainte des reptiles vous empêcher de réaliser votre rêve.

En affrontant le spectre de votre peur, vous le ferez disparaître. En conquérant vos peurs, vous progresserez plus facilement et vous vous inquiéterez moins. Constatez-le par vous-même !

11. Éliminez les termes anxiogènes de votre vocabulaire. Certains mots génèrent une angoisse démesurée : *devrais, personne, incapable, tout le monde, toujours* et *jamais* en sont des exemples. Notez ce qui vous rend anxieuse et encerclez tous les mots anxiogènes. Remplacez-les par des mots comme *pourrais, préfère, peux, choisis de ne pas, certaines personnes, parfois* et *à l'occasion*. Non seulement ces termes de rechange sont-ils apaisants, mais ils sont généralement plus justes.

12. Faites de l'exercice. Savez-vous pourquoi vous vous sentez si bien après avoir fait de l'exercice ? C'est que l'exercice augmente la sécrétion de sérotonine produite par le cerveau ; or, la sérotonine est un neurotransmetteur qui contribue à soulager la dépression. Par ailleurs, il a été prouvé que l'exercice aide à *réduire* le taux de cortisol dans l'organisme (le cortisol étant l'hormone qui encourage le stockage des graisses produites par l'organisme en situation de stress). Comme si cela ne suffisait pas, l'exercice a d'autres avantages : on sait qu'il améliore l'image corporelle, augmente la confiance en soi et engendre un sentiment d'accomplissement. Combien de temps faut-il consacrer à l'exercice chaque semaine pour en récolter des bénéfices aussi puissants qu'incroyables ? Surprise ! Pas si longtemps que ça… Trois séances hebdomadaires de vingt minutes suffiront généralement.

Si vous faites déjà de l'exercice régulièrement, peut-être est-il temps d'essayer autre chose. Face à la routine, l'ennui s'installe dans le corps comme dans l'esprit. Envisagez donc de changer de routine en suivant un nouveau cours (kick-boxing, yoga ou tai-chi) ou en optant pour un nouveau lieu (marcher à l'extérieur plutôt que sur un tapis roulant). C'est une excellente façon de renforcer divers groupes musculaires et de pimenter votre programme d'exercice en même temps.

En résumé, si vous faites de l'exercice vingt minutes, trois fois par semaine, vous vous inquiéterez moins, vous améliorerez votre image corporelle, vous décuplerez votre confiance en vous-même et vous jouirez d'un sentiment d'accomplissement. Remarquable, comme rendement sur le capital investi !

13. Concentrez-vous sur vos réalisations. De quelles réalisations êtes-vous le plus fière ? De l'éducation de vos enfants, de l'acquisition de l'emploi de vos rêves, de la persévérance dans votre programme d'exercice, de l'organisation d'une levée de fonds pour un organisme local de bienfaisance, ou encore de la décision de finalement faire quelque chose à propos de votre anxiété et de lire ce livre ? En vous concentrant sur vos réalisations, vous réussirez à vous libérer du sentiment d'inquiétude et d'énervement qui vous envahit quand vous ne pensez qu'à ce que vous n'avez pas encore éliminé de votre liste de choses à faire. Devant ce que vous n'avez pas encore accompli, faites une courte pause et appréciez le chemin parcouru. Prenez conscience de vos réalisations et célébrez-les : vous pourrez ainsi lâcher prise et retrouver votre sérénité.

14. Concentrez-vous sur l'essentiel. Un samedi matin, Brianna, ma fille de neuf ans, devait passer un examen d'entrée dans une institution d'enseignement. Elle s'est donc habillée en conséquence, mais juste avant que nous quittions la maison, j'ai remarqué qu'elle portait de vieilles espadrilles avec son bel ensemble. Je lui ai demandé : « Penses-tu que tu pourrais porter d'autres chaussures ? » Elle a regardé ses espadrilles avant de relever les yeux vers moi : « Maman, ce ne sont pas mes chaussures qu'on va évaluer. » J'ai acquiescé : « Tu as parfaitement raison. » Nous sommes parties pour l'école, Brianna chaussée de ses vieilles espadrilles, et moi, avec un nouveau regard.

Ce jour-là, ma fille m'a rappelé quelque chose d'essentiel : quand vous êtes trop prise par les petits détails, vous perdez l'essentiel de vue. Ainsi, en vous centrant sur ce que vous n'aimez pas dans votre apparence, vous perdez de vue le fait que vous avez une excellente santé. En ressassant tout ce que vous n'aimez pas dans votre quartier, vous négligez le fait que vous vivez dans une belle maison.

Aussi tentant que cela soit, se concentrer uniquement sur les petits détails et en négliger la vue d'ensemble génère beaucoup d'anxiété, de stress et d'insatisfaction. Comment faire, dans ce cas, pour remodeler votre pensée, vous satisfaire et retrouver votre sérénité ? Il y a un remède : prendre du recul et vous demander si *c'est vraiment important*. Dans le cas de Brianna, ses chaussures n'avaient pas d'importance. Le principal était l'examen qu'elle s'apprêtait à passer. Il fallait qu'elle soit à l'aise et qu'elle puisse se concentrer sur son épreuve sans avoir à se préoccuper de ses chaussures.

Je ne prétends pas qu'on doive faire fi de *tous* les détails. Il est évident que les détails se combinent pour former l'ensemble. Il est important de cerner les aspects qui exigent d'être peaufinés et d'agir pour apporter des changements positifs. Par contre, je vous suggère de ne pas vous investir au point de perdre l'essentiel de vue. Questionnez-vous : *Qu'est-ce qui est vraiment important ?* Laissez la réponse modifier votre point de vue et accroître votre sérénité.

15. Faites-vous masser. Le massage thérapeutique réduit la tension musculaire engendrée par l'inquiétude et libère l'esprit des pensées anxiogènes. Où trouver un bon massothérapeute ? Grâce au bouche-à-oreille. Demandez à vos amies si elles ont quelqu'un à vous recommander. Sinon, trouvez une clinique ou un spa réputés dans votre quartier et offrez-vous une expérience apaisante.

16. Faites un câlin. Ne sous-estimez jamais le pouvoir curatif du toucher. Quand vous avez besoin d'un remède simple et rapide pour vous aider à supporter les effets physiques et émotionnels de l'anxiété, faites un câlin à un être cher.

17. Riez de vos soucis. Le rire encourage le corps à libérer des endorphines (un analgésique organique) et réduit la sécrétion de cortisol, l'hormone libérée en réponse au stress. Cherchez comment intégrer l'humour à votre existence. Regardez une comédie, racontez une histoire drôle ou sortez des photos ridicules de vous et de vos proches — en un mot, faites ce qu'il faut pour exercer vos muscles zygomatiques !

18. Faites corps avec la nature. Travaillez ou asseyez-vous dans votre jardin. Étendez-vous de tout votre long sur le gazon et observez le passage des nuages. Partez en randonnée dans la forêt, ou emmitouflez-vous et allez marcher dans la neige. L'immersion dans la nature exerce un effet particulièrement apaisant qui vous aidera à dissiper vos angoisses.

19. Écoutez de la musique. On dit que « la musique adoucit les mœurs ». C'est vrai ! Avez-vous déjà remarqué à quel point écouter votre chanson favorite vous remonte le moral en un rien de temps ? Alors, en avant la musique ! Laissez vos soucis s'envoler avec les notes.

20. Méditez. Dix à quinze minutes de méditation quotidienne détendront votre corps et votre esprit. Celui-ci pourra ainsi se reposer des pensées que vous passez et repassez constamment. Durant cet intervalle, restez tranquille et faites le vide dans votre esprit. L'exercice peut s'avérer difficile au début, mais on *peut* y arriver. Vous pouvez vous concentrer sur de la musique instrumentale ou un enregistrement de sons apaisants ; quand une pensée traverse votre esprit, imaginez que vous l'expirez et laissez-la aller. Vous pouvez aussi vous concentrer sur un objet, une peinture ou une fleur, par exemple. Concentrez-vous entièrement sur l'objet ; si une pensée traverse votre esprit, expirez-la et laissez-la partir. La méditation étant un outil inestimable pour se libérer de l'angoisse, faites-vous un point d'honneur d'apprendre à la pratiquer.

21. Prenez soin de vous. Prenez un long bain, regardez un film, prenez votre petit-déjeuner au lit, sortez dîner, enroulez-vous dans une couverture et étendez-vous sur le canapé, lisez un bouquin au coin du feu… Prendre soin de vous vous remettra les idées en place. Je travaille et je suis mère de deux enfants, alors je comprends que vous allez prétendre ne pas avoir le temps de vous offrir le luxe de prendre soin de vous. Quand vous pensez être trop occupée, c'est précisément le moment où vous en avez le plus besoin !

Si vous vous êtes promis de prendre soin de vous quand vous aurez plus de temps, j'aimerais vous confier un petit secret : *vous n'aurez jamais plus de temps − vingt-quatre heures par jour, c'est tout ce que vous avez.* Peu importe qui on est, ce qu'on fait ou combien d'argent on a : on a tous le même nombre d'heures à dépenser. Si vous vous occupez d'abord de vous, vous disposerez de beaucoup plus d'énergie et de joie durant ces vingt-quatre heures.

Est-ce que cela signifie que vous devriez prendre soin de vous sans tenir compte des besoins des autres ? Bien sûr que non ! Mais si vous ne faites qu'aider les autres, vous allez finir par vous épuiser. Au bout du compte, si vous continuez à passer en dernier, vous n'aurez plus rien à donner. Dressez une liste « je prends soin de moi » et commencez à inscrire les activités connexes dans votre agenda en les faisant passer *avant* les engagements du quotidien. Voyez ensuite à quel point prendre d'abord soin de vous vous donne la force, l'énergie et la paix nécessaires pour prendre soin des autres et vous occuper du reste.

22. Faites votre éloge. Répétez après moi : *Je suis astucieuse, prospère, intelligente, compétente, créative, flexible, aimable et belle.* Sentez-vous libre d'étoffer la liste ! Rédigez quelques phrases puissantes et positives sur vous-même et répétez-les quotidiennement. Plus vous croirez que vous êtes aussi merveilleuse, aimable et méritante que vous l'êtes en réalité, plus votre estime de soi et votre assurance croîtront. Dans mon cheminement, j'ai découvert que plus je me sentais bien dans ma peau, plus mon anxiété diminuait. Faites fondre vos angoisses : renforcez votre confiance en vous et votre estime de soi en faisant votre propre éloge. Complimentez-vous chaque jour !

23. Prêtez attention à vos sens. En prêtant attention à ce que vous voyez, entendez, sentez, goûtez et touchez, vous ressentirez la joie du moment présent. Vivre au présent apporte une puissance et une joie extraordinaires. Quand vous vous surprenez à vous tourmenter à propos de l'avenir ou à ressasser le passé, arrêtez-vous et revenez au présent. Prêtez attention à vos sens : goûtez le câlin d'un proche, écoutez attentivement les propos d'une amie et, lors de votre prochain repas, prêtez attention au goût, à l'arôme et à la texture de chaque bouchée. Si vous faites l'effort conscient de captiver vos sens, vous transformerez vos moments *a priori* ordinaires en expériences extraordinaires. Cessez de regretter le passé et de vous tourmenter à propos de l'avenir : immergez-vous totalement dans le présent.

24. Lisez. Des ouvrages de croissance personnelle aux romans de science-fiction, la lecture ouvre les horizons, transporte vers des lieux étrangers au quotidien et permet d'échapper aux pensées angoissantes. Si vous lisez pour oublier vos inquiétudes, il convient d'être sélective dans vos choix. Ainsi, si vous cherchez à vous défaire de la peur que vos enfants se fassent enlever, il est probablement plus sage d'éviter les romans de kidnapping. D'un autre côté, en optant pour un livre de croissance personnelle où vous apprendriez comment enseigner la vigilance à vos enfants, vous pourriez concevoir un plan de protection et, ce faisant, vous rassurer. Dans cet exemple, vous pourriez également choisir un roman qui n'a rien à voir avec les enfants, de manière à oublier vos soucis pendant un temps et à donner un répit à votre esprit.

Quand vous lisez pour apaiser votre esprit, assurez-vous que ce dont vous le nourrissez vous sert et non le contraire. Envisagez de passer à la bibliothèque ou à la librairie pour en rapporter un livre qui vous semble intéressant. Réservez-vous quinze à trente minutes chaque jour pour en lire quelques pages. Vous verrez vos horizons s'élargir et votre agitation décroître.

25. Notez vos angoisses. Vous arrivez facilement à vous convaincre que ce qui vous bouleverse va se produire et que vous n'y survivrez pas. C'est pourquoi le journal de vos angoisses est un outil fantastique qui servira à démontrer que les scénarios que vous imaginez s'avèrent rarement réalistes. Par ailleurs, les rares fois où vos inquiétudes se vérifieront, en revoyant la situation et en constatant que vous avez réussi à l'affronter — et que vous êtes encore là aujourd'hui —, vous renforcerez votre confiance dans votre capacité à faire face aux événements, quels qu'ils soient. En ayant confiance en vous, vous comprendrez que vous n'avez absolument rien à craindre. Alors, notez vos angoisses.

26. Réduisez votre consommation de caféine. La caféine augmente la pression artérielle, intensifie les sentiments de stress et d'anxiété et induit une sécrétion accrue de cortisol, l'hormone de réponse au stress. Si, tout comme moi, vous aimez le café, cette stratégie pour gérer vos angoisses ne sera probablement pas la plus invitante du programme... mais il ne faut pas désespérer ! La bonne nouvelle, c'est que vous n'êtes pas obligée d'y renoncer entièrement. Les études ont démontré qu'une ou deux tasses de café de six onces par jour ont peu d'effet sur le système cardiovasculaire, mais soyez prudente ! À la troisième tasse, vous pourriez bien sentir vos sentiments d'inquiétude, d'anxiété et de stress augmenter. Si vous voulez calmer votre esprit, réduisez graduellement votre consommation de caféine.

27. Détendez votre mâchoire. Prenez tout de suite un moment pour relâcher les muscles de votre mâchoire et laissez votre bouche s'ouvrir naturellement sous l'effet de la gravité. Que remarquez-vous ? Votre corps tout entier n'a-t-il pas suivi le mouvement de relâchement ? Pour lâcher prise sur vos angoisses, accordez une grande place à la détente de vos muscles crispés par la tension. Quand vous avez besoin d'une solution rapide pour vous détendre, fermez les yeux, concentrez votre attention sur votre mâchoire et détendez-la. Vous serez étonnée de constater à quel point vous êtes calme après seulement une minute.

28. Bercez-vous. Se balancer d'avant en arrière calme le corps et l'esprit. La femme connaît d'instinct les effets apaisants de ce mouvement, puisque c'est celui qu'elle adopte naturellement pour réconforter un bébé qui pleure. Mes deux filles ont souffert de coliques quand elles étaient bébés et, pendant ces périodes difficiles, je crois que je me berçais autant que mes nourrissons ! Ce qu'il y a de bien avec cette technique, c'est qu'elle est gratuite et que vous pouvez la pratiquer n'importe où. La prochaine fois que vous serez envahie par l'anxiété, endormez vos inquiétudes en les berçant.

29. Dites non. Il est impératif que vous n'acceptiez pas plus d'engagements que vous ne pouvez raisonnablement honorer. Quand on est sous pression parce qu'on a trop de choses à faire, on glisse souvent sur la pente des pensées, des hypothèses et des émotions négatives : on crée alors les conditions parfaites pour que naisse l'anxiété.

Apprenez à dire non quand vous avez atteint vos limites. Vous pourrez trouver difficile de refuser les demandes, surtout si vous ressentez le besoin de plaire. Croyez-moi, je l'ai vécu et je sais comment on se sent. Voici les trois méthodes que j'utilise pour refuser ce qu'on me propose, poliment et sans malaise :

1. *Remerciez et déclinez* : « J'apprécie que vous ayez pensé à moi comme bénévole. Malheureusement, je ne pourrai pas vous aider cette fois. »

2. *Complimentez et déclinez* : « Votre soirée a l'air amusante, mais je ne pourrai pas être des vôtres. »

3. *Souhaitez le meilleur et déclinez* : « Je vous souhaite beaucoup de succès avec votre événement. Malheureusement, je ne pourrai pas y participer cette année. »

Je ne vous encourage pas à refuser toutes les offres et toutes les demandes qu'on vous fait — après tout, l'entraide est importante, tout comme les rencontres amicales et familiales. Ce que je dis, c'est ceci : si vous atteignez (ou avez atteint) votre limite, reconnaissez-le et dites non, pour votre bien-être et votre tranquillité d'esprit.

30. Planifiez des « périodes d'angoisse ». Réservez-vous chaque jour dix à quinze minutes pendant lesquelles vous vous inquiéterez. Pendant cette « période d'angoisse », écrivez dans votre journal, formulez un plan d'action ou téléphonez à une amie pour vous défouler. Par contre, ne dépassez pas le temps alloué. Une fois qu'il est écoulé, arrêtez, puis tournez votre esprit vers un autre sujet ou, mieux encore, levez-vous et faites autre chose. Si une pensée anxieuse vous effleure en dehors de votre « période d'angoisse », ajoutez-la simplement à la liste des « choses auxquelles vous penserez plus tard » et poursuivez vos activités.

La stratégie n'est pas conventionnelle, mais elle fonctionne. Voici pourquoi : aussi idiot que cela puisse paraître, vous ruminez peut-être interminablement vos soucis par peur de les oublier. En les couchant par écrit et en leur réservant un moment pour les régler, vous serez certaine que cela n'arrivera pas.

Essayez cette technique et vous verrez quelque chose d'étonnant se produire ! Quand arrivera votre « période d'angoisse », vous n'aurez probablement pas envie de vous tourmenter au sujet de tous les points de votre liste ! Et même si vous y arrivez, vous aurez pris le temps d'exprimer vos préoccupations, ce qui représente un aspect crucial du processus de lâcher-prise. Et n'oubliez pas :

quand votre « période d'angoisse » est terminée, passez à autre chose.

31. Décidez d'une date où vous ferez une activité que vous aimez. Plutôt que de perdre vos journées à vous inquiéter au sujet de l'avenir, planifiez des événements que vous aurez hâte de vivre. Qu'il s'agisse d'une activité simple, comme dîner à votre restaurant favori, ou de quelque chose de plus élaboré, comme un voyage exotique ; cette stratégie facile et amusante vous aidera à transformer vos appréhensions en anticipation enthousiaste.

32. Dormez d'un sommeil réparateur. Le repos est essentiel à la vitalité et au bien-être, et les spécialistes s'entendent pour dire que la moyenne des gens ont besoin de six à huit heures de sommeil par nuit. Et vous, de combien d'heures de sommeil avez-vous besoin ? Comme je l'ai suggéré précédemment, laissez votre corps vous guider. Si vous vous réveillez reposée, tout va probablement pour le mieux. Par contre, faites attention de ne pas trop en faire : si vous dormez trop, vous vous sentirez plus fatiguée le jour. Dans certains cas, dormir comme un loir peut signaler un problème médical sous-jacent, auquel cas vous voudrez consulter votre médecin.

Consultez votre fournisseur de soins de santé ou un naturopathe si vous souffrez d'insomnie. Certains traitements holistiques pourront vous permettre de résoudre ce problème et de dormir comme vous en avez besoin. Faites votre possible pour bien dormir, et ainsi calmer votre esprit soucieux et fatigué.

33. Ralentissez. Vous avez probablement tendance à courir quand vous êtes inquiète et dépassée — votre esprit s'emballe et votre corps suit. Dans ces moments-là, ralentissez. En marchant, faites de plus petits pas. En conduisant, veillez à ne pas dépasser la limite permise ; sinon, levez le pied de l'accélérateur et respectez la limite de vitesse. En parlant, ralentissez votre débit pour détendre l'atmosphère. En ralentissant volontairement vos mouvements, vous ralentirez du même coup votre esprit ; vous deviendrez plus calme et beaucoup moins agitée à mesure que vos pensées s'apaiseront.

34. Passez du temps avec un animal de compagnie. Un animal domestique apaisera votre anxiété pour plusieurs raisons :

- Il atténuera votre sentiment d'isolement, émotion susceptible de vous ramener à des schémas de comportement négatifs (comme faire des suppositions négatives et anxiogènes).

- Vous pourrez vous confier à lui sans jamais vous inquiéter d'être jugée.

- Certains animaux de compagnie pourront même atténuer votre peur d'être victime d'un crime. Pour ma part, je me sens tout à fait en sécurité avec mes deux gros bergers allemands sur le qui-vive.

Les bienfaits de posséder un animal de compagnie sont nombreux, certes, mais assurez-vous que l'espèce que vous choisissez d'intégrer à votre quotidien convient à votre personnalité et à votre habitation : vous voulez vous libérer de vos soucis, pas y ajouter ! Si vous ne pouvez pas avoir d'ami à fourrure à la maison, envisagez de donner du temps au refuge pour animaux de votre localité. C'est une bonne façon d'aider votre communauté et de profiter d'un petit moment de thérapie qui vous libère en même temps de votre anxiété.

35. Fréquentez des gens positifs. J'ai vérifié maintes et maintes fois que la compagnie de gens négatifs finit par rendre négatif. L'inverse étant aussi vrai, il sera donc logique de s'entourer de gens positifs pour lâcher prise sur ses angoisses. Si vous n'avez pas un bon réseau de connaissances dynamiques à fréquenter, joignez-vous à un groupe afin de vous faire de nouveaux amis. Ou alors participez bénévolement à un comité de levée de fonds : c'est une bonne façon de rencontrer de nouvelles personnes tout en aidant son prochain. Pour élargir le cercle de vos connaissances et perfectionner vos talents du même coup, suivez un cours du soir. Amusez-vous à cultiver de nouvelles relations enrichissantes en prenant part à des activités plaisantes. En fréquentant des gens positifs, vous découvrirez que leur optimisme et leur espoir arrivent à vous libérer de vos pensées négatives.

36. Divisez la charge. On peut vivre beaucoup d'angoisse en envisageant toutes ses inquiétudes en bloc. Pour retrouver la quiétude, le secret consiste à diviser la charge. Comme vous ne mangeriez pas en un seul repas la nourriture de toute une semaine, évitez de prendre toutes vos peurs de front. Notez plutôt vos angoisses, puis appliquez le processus C.A.L.M. par petites étapes. Vous pourrez plus facilement agir sur ce que vous pouvez contrôler et lâcher prise sur ce qui vous échappe si vous changez de perspective et prenez vos soucis un à la fois.

37. Recherchez la lumière. Il n'est pas rare qu'on soit plus inquiet et plus déprimé durant les mois d'hiver quand l'exposition au soleil est réduite. Pour combattre ce cafard saisonnier, exposez-vous le plus possible à la lumière. Faites en sorte que votre environnement soit lumineux (avec autant de lumière naturelle que possible), pratiquez des activités à l'extérieur et consultez votre médecin pour connaître les options qu'offre la lumino-thérapie. Vous améliorerez votre humeur en augmentant votre exposition à la lumière naturelle, détournant ainsi votre esprit de ses pensées sombres.

38. Parlez à un(e) ami(e). Vous pourrez ainsi exprimer vos inquiétudes et, dans bien des cas, votre ami(e) vous offrira peut-être des commentaires positifs ou des solutions créatives grâce auxquelles vous cesserez de vous faire du souci.

39. Faites-vous confiance. Vous faites-vous du souci au sujet de ce qui échappe totalement à votre emprise ? Faites-vous confiance : lâchez prise. Vous avez déjà fait face à tout ce que la vie vous a envoyé à ce jour ; vous serez certainement capable de vous occuper de ce qui viendra ensuite, peu importe ce que ce sera. Affirmez ce qui suit : *J'ai les habiletés nécessaires pour résoudre les problèmes. J'ai survécu et je me suis épanouie au-delà des épreuves du passé. J'ai confiance qu'au besoin, je serai capable de le refaire.*

40. Ne regardez pas les informations. Offrez-vous ce cadeau et faites disparaître ces bruits et ces images horribles. Les informations peuvent nous bouleverser profondément et nous donner de nouveaux sujets d'inquiétude. Si vous regardez régulièrement les bulletins de nouvelles, laissez tomber ce rituel : vous aurez un moment libre de plus dans votre quotidien. Profitez de cette pause pour vous remplir d'images réconfortantes : allez marcher dans un parc et écoutez les enfants rire, ou alors asseyez-vous dehors avec vos proches et admirez le coucher du soleil. Participez à *votre* vie plutôt que d'observer celle des autres aux nouvelles : votre esprit s'en trouvera apaisé et vous reprendrez contact avec cette sérénité que l'anxiété étouffe.

41. Visualisez votre réussite. Quand vous voulez quelque chose, visualisez-le. Si vous voulez absolument vous libérer de vos angoisses, ne vous concentrez pas sur ce qui pourrait aller mal : voyez plutôt que tout tourne comme vous le souhaitez. Si vous appréhendez un événement prochain, voyez-le se dérouler exactement comme vous l'espérez. Vous renforcerez votre confiance en visualisant le résultat que vous voulez obtenir ; en retour, votre performance s'améliorera. C'est ainsi que votre vision deviendra une prédiction qui se réalisera.

Si vous voulez améliorer votre condition physique, visualisez-vous mince et forte, en train de faire de l'exercice. Si vous voulez une nouvelle maison, ne dites pas que c'est impossible : visualisez plutôt la maison de vos rêves. De quoi a-t-elle l'air ? Où est-elle située ? Voyez-vous dans votre maison.

N'oubliez pas toutefois que cette technique ne remplace pas l'action. Quels que soient vos rêves, vous devez agir pour les réaliser. La visualisation agit comme une sorte de carburant, car elle vous aide à croire que vos actions en valent la peine. Cette semaine, visualisez votre réussite : si vous croyez que vous pouvez accomplir quelque chose, vous le pouvez.

42. Donnez du temps. En aidant bénévolement une personne dans le besoin, vous aurez bonne opinion de vous-même et vous pourrez plus aisément relativiser vos problèmes. Quand on aide les autres, on s'aide soi-même, finalement.

43. Allez marcher. Si vous avez besoin de recharger vos piles émotionnelles, allez marcher. L'air frais, le soleil et l'exercice — sans compter le plaisir de pratiquer une activité saine — amélioreront sensiblement votre humeur !

Dans ce chapitre, vous avez découvert cinquante-deux stratégies qui vous aideront à lâcher prise sur ce qui échappe à votre contrôle. C'est maintenant le temps de commencer à les intégrer dans le quotidien. Comme je l'ai expliqué, vous pouvez vous y prendre de deux façons. La première consiste à choisir les techniques qui vous attirent le plus. Si c'est ainsi que vous voulez procéder, reprenez la liste et encerclez les cinq stratégies qui vous plaisent le plus. Par la suite, pour contrer l'angoisse, vous n'aurez qu'à choisir parmi vos stratégies préférées celle qui vous convient le mieux sur le moment pour lâcher prise. Quand vous les aurez toutes essayées, je vous encourage à reprendre la liste et à en essayer d'autres. Même les stratégies qui vous paraissent inhabituelles pourront vous aider à laisser tomber votre habitude de vous faire du souci.

La seconde méthode consiste à appliquer une nouvelle stratégie chaque semaine pendant cinquante-deux semaines. Si cette méthode vous attire, reprenez la liste et appliquez chaque stratégie dans l'ordre. Au fil de vos progrès, dessinez une étoile à côté des stratégies qui ont vraiment bien fonctionné. Ainsi, le jour où vos angoisses referont surface, vous pourrez vite retrouver celles qui vous ont le plus aidée.

Tout en lâchant prise sur ce qui échappe à votre contrôle, continuez d'agir sur ce que vous pouvez contrôler et de contester vos hypothèses. Intégrez ensuite la quatrième étape du processus, à savoir la maîtrise de vos pensées.

Introduction

D'anxieuse, devenez audacieuse.

La quatrième étape du processus C.A.L.M. consiste à maîtriser vos pensées. C'est ici que vous découvrirez comment vous protéger contre votre propre courant de pensées négatives. Vous apprendrez comment mettre un terme à vos récriminations mentales pour les remplacer par un dialogue intérieur positif. Ce faisant, vous ne serez plus victime de vos angoisses et vous deviendrez audacieuse : une guerrière.

Que signifie être une guerrière ? Dans le contexte de cet ouvrage, traduit de l'anglais au français, cela signifie reprendre son pouvoir personnel en maîtrisant ses pensées et en choisissant ce qui fera l'objet de son attention. C'est beaucoup demander ! Cependant, je vous invite à étudier plus attentivement les mots *worrier* (anxieuse) et *warrior* (guerrière). Vous remarquerez qu'il suffit de deux lettres pour passer de l'une à l'autre. Parfois, une toute petite modification peut entraîner un grand changement. De la même manière, vous pouvez vous transformer radicalement en changeant simplement la couleur du discours que vous vous tenez, et de victime de vos angoisses, devenir une guerrière qui les élimine.

Généralement, nous dialoguons tous avec nous-mêmes, suivant deux extrêmes. D'un côté du spectre, il y a le discours auto-accusateur. Si vous succombez à cette tendance de façon régulière, vous aurez probablement remarqué que vous êtes très dure envers vous-même. Vous vous fustigez, probablement pour vous punir des défauts et des imperfections que vous croyez avoir. Par ailleurs, vous entretenez beaucoup de croyances limitatives quant à ce que vous êtes capable ou incapable de faire. Vous ressentez une énorme culpabilité, vous vous apitoyez sur votre sort, ou vous pensez que vous n'êtes tout simplement pas assez bien. Quand vous commettez une erreur, vous vous torturez l'esprit en pensant : *Mais qu'est-ce qui ne va pas chez moi ? Pourquoi est-ce que je fais toujours des erreurs ? Je ne peux jamais rien faire de bien.*

À l'autre extrémité, il y a le discours nourricier. Si c'est ainsi que vous vous parlez, vous avez probablement remarqué que vous vous remettez assez vite de vos revers et que vous vous concentrez sur vos forces plutôt que sur vos faiblesses. Vous avez confiance en vous et votre estime de soi est bonne. De plus, vous êtes consciente qu'indépendamment de vos accomplissements (ou de leur absence), vous êtes parfaite telle que vous êtes. La plupart du temps, vous choisissez d'apprendre de vos erreurs et de passer par-dessus, au lieu de vous faire des reproches. En fait, quand vous faites une gaffe, vous avez probablement tendance à vous remonter le moral en vous disant quelque chose comme : *Ça va ; tout le monde commet des erreurs. Je vais en tirer une leçon et faire mieux la prochaine fois.*

En matière de discours nourricier, voici mon exemple favori entre tous : la scène a eu lieu un jour où je participais à un séminaire d'une journée donné par une collègue. Une fois le séminaire terminé, je suis allée la rejoindre à l'avant de la salle. Pendant que nous conversions, un des participants s'est avancé et a demandé à ma collègue si elle était enceinte. Elle lui a vertement répondu que ce n'était pas le cas. Une fois l'homme parti, elle s'est tournée vers moi, une expression de profonde incrédulité sur le visage, et m'a lancé : « Ce sont les avances les plus étranges qu'on m'ait jamais faites ! »

C'est ce que j'appelle un discours nourricier ! Comment auriez-vous réagi dans la même situation ? Auriez-vous pensé qu'on vous faisait des avances ? Ou auriez-vous plutôt pensé : *Je rentre à la maison brûler cet ensemble et je ne mange plus jamais !* Si c'est le cas, cette façon de penser indique une tendance à l'auto-accusation.

Vers lequel de ces extrêmes avez-vous le plus tendance à pencher ? Votre discours intérieur est-il aimant ou le plus souvent sévère ? Il est impératif que vous preniez conscience des propos que vous vous tenez, parce que c'est d'abord ce discours qui fera naître l'inquiétude ou le calme en vous. Vous avez le choix de vous persuader d'être calme ou anxieuse.

Par ailleurs, quand vous prenez réellement conscience de votre discours intérieur, vous vous centrez dans votre pouvoir. Selon les situations, vous êtes alors en mesure de remarquer les occasions où vous glissez vers l'auto-accusation (ce dont nous nous rendons toutes coupables à l'occasion). Grâce à cette prise de conscience, vous êtes en mesure de réagir. Vous avez la capacité de sortir du cercle vicieux et de ramener votre discours à l'extrémité nourricière du spectre.

Ce quatrième chapitre présente onze stratégies grâce auxquelles vous apprendrez à transformer votre discours intérieur de manière à ce qu'il vous nourrisse. Vous remarquerez que chaque section commence avec une pensée *anxieuse*, suivie de trois pensées *audacieuses* pour la remplacer. La première est un exemple d'auto-accusation. Communs à bien des femmes, ce sont des points de vue et des croyances limitatives qui les empêchent de trouver la sérénité. Les phrases qui suivent illustrent le discours nourricier ; ce sont des affirmations, des croyances et, dans certains cas, des questions destinées à servir de solutions de rechange. Grâce à ces nouvelles pensées puissantes, vous renforcerez votre croyance et votre confiance en vous-même, et votre estime de soi. Vous les trouverez aussi utiles pour freiner le « train des suppositions ». En retrouvant l'espoir et votre enthousiasme pour la vie, vous vous libérerez de la culpabilité et des jugements qui minent votre sérénité.

Le moment est venu de vous réapproprier votre pouvoir, de maîtriser votre mental et de choisir ce qui sera au cœur de vos pensées. Voici venu le temps de vous transformer d'anxieuse à audacieuse. Que la métamorphose commence !

Acceptez votre responsabilité

L'*anxieuse* dit :   « Je n'y peux rien si je me fais du souci. »

L'*audacieuse* dit : « L'anxiété est un choix. »
« Je choisis de me détacher de mes soucis. »
« Je veux vivre une existence sereine. »

Il fut un temps où j'étais convaincue que mon poids était responsable de mon angoisse. En dépit des bons conseils de mes amies et de ma famille, je croyais que si je perdais suffisamment de poids, mes problèmes disparaîtraient. J'étais certaine qu'être mince arrangerait tout : on m'aimerait, je m'aimerais et je serais enfin calme et insouciante.

Peut-être cette croyance venait-elle du fait que j'avais été « la petite rondelette » au primaire. On m'a beaucoup taquinée au sujet de mon poids quand j'étais enfant, et je me suis servie de l'humour pour cacher ma souffrance jusqu'à l'âge de quatorze ans. À partir de là, j'ai changé de rôle : j'étais le bouffon de la classe, je suis devenue la jeune fille famélique. Je ne mangeais rien durant des jours. Je perdis du poids et mes pairs cessèrent de me taquiner, mais l'anxiété ne disparut pas pour autant de mon univers. Sa persistance me signifiait simplement que je n'étais pas encore assez mince. J'ai donc continué de m'affamer sporadiquement jusqu'à l'âge de seize ans.

Par la suite, je suis devenue boulimique. Je trouvais ce désordre répugnant et pourtant, il me tenait. Cependant, je croyais toujours que si je devenais assez mince, tout irait bien. J'avais tort. Plus je maigrissais, plus j'étais confuse et anxieuse. À dix-sept ans, j'étais au bout du rouleau. J'ai donc pris rendez-vous chez un psychologue pour entamer le long processus grâce auquel j'ai pu vaincre mes troubles de l'alimentation et reprendre le cours de ma vie.

Je raconte cette anecdote très intime dans un but précis, c'est-à-dire pour vous faire comprendre que je sais ce qu'on ressent quand on croit : *Si seulement je pouvais maigrir, je n'aurais plus à m'inquiéter. Si seulement j'avais plus d'argent, je pourrais me détendre. Si seulement j'avais un meilleur emploi, tout irait bien.* Laissez-moi vous dire une chose : si vous n'êtes pas sereine *sans*, vous ne le serez pas plus *avec*. Vous allez tout simplement trouver un autre sujet d'inquiétude. Je le sais : je l'ai vécu. J'ai fait l'expérience des deux côtés de la médaille : j'ai été riche et fauchée, j'ai eu des emplois formidables et d'autres passablement minables. J'ai été trop grosse et j'ai pesé le poids idéal.

À travers tout cela, j'ai saisi une vérité essentielle : ce n'est pas l'argent, votre poids, vos enfants, vos parents, votre charge de travail, votre santé, votre carrière et les autres qui vous angoissent. Savez-vous ce qui vous perturbe ? *C'est vous !* Dans les faits, c'est une excellente nouvelle, car cela signifie que, pour retrouver la sérénité, vous n'êtes pas obligée de gagner à la loterie, maigrir, trouver un conjoint, divorcer, changer d'emploi ou régler ce que vous rendez responsable de votre situation. Tout ce que vous avez à faire, c'est accepter la responsabilité de votre anxiété et d'arrêter de l'attribuer à des facteurs extérieurs.

Accepter votre responsabilité ne signifie pas vous condamner. Cela ne fait que changer votre point de vue : vous devez intérioriser votre anxiété au lieu de l'extérioriser. Il ne s'agit pas de trouver un coupable. Il s'agit plutôt de vous donner les moyens d'apporter des changements positifs à votre vie, d'accepter votre responsabilité et de vous réapproprier votre pouvoir. Affirmez ceci : *L'anxiété est un choix. Je choisis de me détacher de mes soucis. Je veux vivre une existence sereine.* Passez ensuite à la prochaine stratégie de maîtrise de vos pensées.

Remettez en question
vos croyances limitatives

L'*anxieuse* dit :   « Je ne suis pas comme il faudrait. »

L'*audacieuse* dit : « Je suis parfaite telle que je suis »
« Je suis unique telle que je suis. »
« Je suis précieuse telle que je suis. »

Un jour, en troisième année, ma fille Brianna a eu à faire un devoir sur les faits et les opinions. Elle devait déterminer parmi une vingtaine de phrases lesquelles étaient des faits et lesquelles étaient des opinions. Voici quatre de ces phrases, accompagnées des réponses de Brianna :

- Certaines familles ont un chien comme animal domestique. *Fait*
- Les chiens sont de meilleurs animaux de compagnie que les chats. *Opinion*
- Les pommes poussent dans les arbres. *Fait*
- La banane a un goût horrible. *Fait*

En révisant son devoir, j'ai remarqué qu'elle avait fait une erreur, aussi lui ai-je dit : « Brianna, tu dis que c'est un fait que la banane a un goût horrible, mais j'en ai mangé une ce matin au petit-déjeuner. Alors, est-ce un fait ou une opinion ? » Elle m'a répondu : « C'est un fait : tu as mangé une horrible banane ce matin au petit-déjeuner ! » En l'entendant, j'ai pris conscience que certaines des croyances auxquelles on s'accroche — même celles qui font plus de tort que de bien — sont des opinions, alors qu'on agit comme si elles étaient factuelles.

Comme je l'ai déjà mentionné, j'ai lutté des années durant contre l'une de mes croyances qui était : *Je ne suis pas comme il faudrait, mais si j'arrive à perdre encore cinq kilos*, là, *je serai attirante, digne d'amour et d'estime*. Je n'avais jamais remis cette croyance en question ; je l'acceptais comme un fait. Je suis certaine que vous êtes nombreuses à lutter avec cette hypothèse. Si c'est le cas, voici venu le moment de la contester. Est-ce un *fait* ou une *opinion* que vous n'êtes pas comme il faudrait actuellement, mais que si vous perdiez cinq, dix ou vingt kilos, vous seriez enfin attirante et digne d'amour et d'estime ? Je sais que vous ricanez et que vous répondez fort et en insistant bien : « C'est un fait ! » Quoi qu'il en soit, je vous assure qu'il s'agit d'une opinion. Le fait est que si vous perdiez cinq kilos, vous seriez un peu plus légère, mais pas plus digne d'amour ; vous ne seriez ni une meilleure personne ni plus précieuse en tant qu'être humain. Tout est une question de point de vue.

Je ne dis pas que les opinions n'ont pas d'importance ou que vous devriez faire fi de vos préférences et des réflexions d'autrui. Ayez des opinions, bien entendu ! Tenez-y, partagez-les, réfléchissez-y, changez-en et *remettez-les en question*. Je crois sincèrement que vous devez faire preuve de vigilance afin d'éviter de confondre *fait* et *opinion*. Nous sommes beaucoup trop nombreuses à traîner la souffrance du passé, face à la critique, au rejet et au dénigrement, parce que nous avons fait l'erreur de prendre des opinions pour des faits. Nous sommes beaucoup trop qui nous torturons au sujet de notre poids et qui vivons amputées de notre estime de soi parce que nous prenons pour un fait un sentiment, quel qu'il soit.

Une opinion n'est pas un fait. Un fait cerne ce qui est vrai ou qui peut être prouvé comme tel. Une opinion ne se fonde ni sur une preuve ni sur une certitude. Bien entendu, il est important de préserver certaines croyances : elles pourront vous inspirer et faire en sorte que vous atteigniez des sommets vertigineux et que vous surmontiez des obstacles impressionnants. Tenez aux concepts qui vous encouragent, qui renforcent votre estime de soi et qui accroissent votre sérénité.

L'autre côté de la médaille, c'est que certaines idées s'attaquent au cœur même de l'estime de soi. Elles vous font croire que vous n'êtes pas acceptable, que vous êtes indigne d'amour et d'estime, incapable et sans valeur. Voilà les idées qu'il faut remettre en question ; ne vous contentez pas de les accepter. Questionnez la validité de chacune de vos croyances limitatives en vous demandant : *Est-ce un fait ou une opinion ?* Plus souvent qu'autrement, vous découvrirez que ce n'est même pas la vérité. En faisant la distinction consciente entre les deux, vous serez en mesure de lâcher prise sur ce qui vous ne sert plus.

Prenez conscience de vos croyances. Contribuent-elles à votre bien-être ou à votre mal-être ? Vous aident-elles ? Vous nuisent-elles ? S'agit-il d'un fait ou d'une opinion ? Est-ce votre opinion ou celle d'autrui ? C'est le moment de remettre en question toutes les hypothèses limitatives qui vous font souffrir et vous coupent de votre sérénité. Enjolivez votre quotidien de faits et d'opinions qui vous renforcent, qui vous apportent de la joie et vous inspirent le dépassement. Décidez si les bananes ont vraiment un goût horrible… et si, au contraire, vous les trouvez savoureuses, jouissez de chaque bouchée.

Neutralisez
les étiquettes négatives

L'*anxieuse* dit :   « Je suis maladivement anxieuse. »

L'*audacieuse* dit : « Je suis calme. »
« J'ai confiance dans l'avenir. »
« Je suis une guerrière. »

Quels qualificatifs employez-vous pour vous décrire ? Vous considérez-vous surtout comme une personne calme, forte, assurée, digne d'amour, méritante, astucieuse, compétente, prospère, courageuse, belle, et autres qualificatifs élogieux et valorisants ? Ou est-ce que vous vous étiquetez plutôt négativement, en vous disant mauvaise, amochée, ratée, inadéquate, incompétente, stupide, paresseuse, égoïste, bref, une anxieuse chronique qui ne mérite rien ? Il est important de prendre conscience des mots que vous utilisez pour parler de vous, car vous devenez celle que vous persistez à décrire.

Votre esprit fera de son mieux pour vous donner raison. Par exemple, si vous vous dites que vous ne valez rien parce que vous n'arrivez jamais à vous en tenir à un régime, vous pourrez inconsciemment (ou consciemment) faire déraper votre programme d'alimentation santé pour vous donner raison. Si vous pensez que vous êtes incompétente, vous verrez probablement plus vos erreurs que vos réalisations, et vous vous saboterez peut-être inconsciemment afin de confirmer la justesse de vos croyances. Si vous vous dites maladivement anxieuse et pensez que votre situation est sans espoir, vous pourrez décider d'abandonner le processus C.A.L.M. afin de prouver que l'étiquette vous va tout à fait.

Comme vous êtes une battante, une femme compétente qui mérite tout ce qu'elle désire, vous réussirez dans vos tentatives et vous pourrez continuer à vous faire du souci. Essentiellement, les étiquettes négatives que vous vous attribuez deviennent des prédictions qui se réalisent. La bonne nouvelle, c'est que vous pouvez sortir de ce cercle vicieux en complétant les étapes suivantes :

— **Dressez la liste des étiquettes que vous utilisez pour vous décrire.** Écrivez autant de qualificatifs que vous le pouvez en complétant la phrase suivante : *Je suis...* Notez tous les mots qui vous viennent à l'esprit et continuez d'en ajouter jusqu'à ce que vous ayez le sentiment que vous avez énuméré la majorité des étiquettes dont vous vous servez d'habitude pour vous décrire.

— **Prenez conscience que tout le monde a ses côtés positifs et ses côtés négatifs.** Une fois votre liste terminée, relisez ce que vous avez écrit en prenant conscience que nous ne sommes pas bonnes *ou* mauvaises, fortes *ou* faibles, parfaites *ou* imparfaites. Nous sommes plutôt bonnes *et* mauvaises, fortes *et* faibles, parfaites *et* imparfaites. Cette réalisation vous aidera beaucoup à accroître votre confiance en vous et votre estime de soi. Vous ne laisserez plus une étiquette affecter l'opinion que vous avez de vous-même, car vous saurez qu'elle ne dit pas tout. Par conséquent, vous ne tomberez plus dans le piège de croire uniquement aux descriptions négatives et de leur permettre de dominer vos pensées au point où elles deviennent justement des prédictions qui se concrétisent.

— **Neutralisez les étiquettes négatives.** La dernière étape consiste à neutraliser chaque jugement sévère en lui opposant au moins trois étiquettes positives. En voici trois exemples :

1. L'*anxieuse* dit : « Je suis un être brisé. »
   L'*audacieuse* dit : « Je suis entière.
   Je suis complète. Je suis belle. »

2. L'*anxieuse* dit : « Je suis mauvaise. »
   L'*audacieuse* dit : « Je suis bonne. Je suis bienveillante. Je suis digne d'amour. »

3. L'*anxieuse* dit : « Je ne mérite rien. »
   L'*audacieuse* dit : « Je suis méritante. Je suis unique. Je suis l'égale de tous. »

Pourquoi trois étiquettes positives ? Malheureusement, les étiquettes négatives sont probablement enracinées dans votre esprit depuis très longtemps, aussi semblent-elles plus crédibles que les étiquettes inspirantes. Il faut équilibrer la balance des négatifs avec au moins trois phrases aimantes et positives pour faciliter le processus de transformation de vos croyances.

Essayez-le : identifiez d'abord les étiquettes dont vous vous servez pour vous décrire. Prenez conscience que vous avez à la fois des côtés positifs et des côtés négatifs, et neutralisez vos croyances débilitantes grâce à trois phrases élogieuses au moins. Quand vous faites pencher la balance en votre faveur, quelque chose de formidable se produit. Tout comme vous recherchiez les occasions de vous prouver que vous aviez raison à propos de vos étiquettes négatives, vous verrez à démontrer que vous avez raison pour ce qui est des positives. Encore une fois, vous devenez ce que vous affirmez être. Mais cette fois, vous vous transformez en une version plus sereine, plus puissante et plus heureuse de vous-même.

Détectez et rectifiez
vos pensées « tout ou rien »

L'*anxieuse* dit : « *Tout* tourne *toujours* à la
catastrophe. »

L'*audacieuse* dit : « *Parfois*, les choses ne tournent pas
comme prévu. »

« C'est rarement aussi terrible que cela
en a l'air. »

« Je peux choisir de tirer le meilleur de
cette situation. »

« Nous n'y arriverons *jamais* ! Pourquoi ce genre de
choses m'arrive-t-il *toujours* à moi ? *Tout* est désas-
treux ! » Nous avons presque toutes prononcé ce genre de
phrases contenant *tout* ou *rien* à un moment ou à un autre
de notre vie. À l'époque où je me faisais du souci pour tout,
c'était le genre de pensées qui m'emprisonnaient dans un
tourbillon d'inquiétudes. Un après-midi, vers 13 heures 30,
mon conjoint, nos deux filles et moi étions pris sur l'auto-
route au beau milieu d'une tempête de neige. Généralement, les blizzards ne me dérangent pas, mais Terry et
moi étions à la veille de partir en vacances à Sainte-Lucie
et j'étais *certaine* que nous allions rater notre avion.

Plus tôt, le matin, comme le soleil brillait ardemment,
nous étions convaincus que notre trajet jusqu'à l'aéroport
se déroulerait sans anicroche. Tout ce que nous avions
à faire, c'était de conduire nos filles chez les parents de
Terry. Elles passeraient la semaine avec mes beaux-parents

qui vivaient à une heure et demie de voiture de la maison, vers l'est. L'aéroport, lui, se trouvait à une heure à l'ouest de notre résidence. Nous avions donc figuré qu'en quittant la maison à 13 heures, nous aurions le temps de laisser les enfants chez leurs grands-parents et d'arriver à l'hôtel à temps pour déguster notre dîner à loisir. Nous pourrions ainsi nous coucher assez tôt pour être frais et dispos pour notre vol de 6 heures du matin. Mais voilà, nous étions partis depuis à peine une demi-heure et il neigeait tellement que nous distinguions à peine la route.

Après trois heures à une allure d'escargot sur les routes enneigées, nous sommes arrivés à la route de campagne où habitaient mes beaux-parents. Or, leur maison se trouvant à presque un kilomètre du coin, le trajet était tout à fait impossible à envisager avec notre camionnette. Terry a donc téléphoné à son père, qui lui a suggéré que nous nous rendions chez un de ses amis, propriétaire de la concession automobile de la ville, pour lui demander de nous prêter un camion. Ce que nous avons fait. Après avoir transféré enfants et bagages dans le camion qu'il nous prêtait, nous avons laissé notre véhicule chez le concessionnaire pour retourner chez mes beaux-parents.

De retour devant la route de campagne enneigée, Terry a dit : « On n'a pas d'autre choix que de foncer. » Il a écrasé l'accélérateur, j'ai croisé les doigts et le camion s'est élancé tel un hydroglisseur sur la neige, au point où les pneus ont quitté la route. Malheureusement, il s'est enlisé. Je me suis mise à gémir : « Formidable ! *Toutes* nos vacances sont ratées. »

Tandis que je me lamentais à propos de la situation, j'ai remarqué quelques adolescents du voisinage qui circulaient en motoneige. Les hélant, je leur ai demandé de nous emmener chez mes beaux-parents. Heureux de nous donner un coup de main, ils ont fait plusieurs fois la navette, jusqu'à ce que Terry, mes filles, leurs bagages et moi soyons finalement tous rendus chez mes beaux-parents. Il était 18 heures, l'heure à laquelle nous avions prévu arriver à l'hôtel de l'aéroport.

Les adolescents nous ont ramenés en motoneige, mon mari et moi, jusqu'au camion qu'ils ont ensuite poussé et remis sur la route. Nous sommes retournés chez le concessionnaire pour lui rapporter son camion, puis nous avons sauté dans notre camionnette et repris la longue route enneigée menant à l'aéroport. J'étais *certaine* que nous n'y arriverions pas. Je n'arrêtais pas de me répéter que c'était terrible de gaspiller tout cet argent pour un voyage que nous ne ferions même pas. Je m'apitoyais sur mon sort, en me demandant pourquoi ce genre de chose m'arrivait *toujours* à moi. J'étais persuadée que tout était un désastre.

Avez-vous déjà vécu quelque chose de semblable vous étant mise dans tous vos états en exagérant une situation et en lui donnant des proportions démesurées ? Si c'est le cas, vous serez heureuse de savoir qu'il existe un moyen de reprendre contenance et de calmer votre esprit, même quand il vous incite à penser que tout est terminé.

La première étape consiste à surprendre vos pensées *tout ou rien* et, pour ce faire, la meilleure façon consiste à les écrire. Écrivez exactement ce que vous vous racontez. Dans mon cas, les phrases importantes étaient : *Nous n'y arriverons jamais ! Pourquoi ce genre de choses m'arrive-t-il toujours à moi ? Tout est un désastre !* Vous pensez peut-être des choses comme : *Je commets toujours des erreurs. Personne ne m'aime. Je ne peux faire confiance à personne.* Peu importent vos pensées, écrivez-les.

La deuxième étape consiste à remplacer vos phrases par des vérités plus justes. Comme ceci : *Je commets parfois des erreurs, mais je réussis aussi beaucoup de choses. Il n'y a pas de danger à faire des erreurs et je peux en tirer des leçons. Certaines personnes m'aiment bien et je m'aime aussi. Je suis digne de confiance et c'est le cas de beaucoup d'autres personnes.* À votre avis, est-ce que ces nouvelles phrases pourraient vous aider à regagner votre sérénité et à éviter que vos pensées ne deviennent incontrôlables ? C'est évident !

Imaginez si j'avais remplacé mon monologue *toujours-jamais* par des vérités plus justes comme : *Je ne suis pas certaine que nous arrivions à l'aéroport à temps pour notre vol. Par contre, nous avançons et nous faisons de notre mieux. Il est vrai que j'ai déjà eu des mésaventures en voyage auparavant et je ne suis pas certaine que nous arrivions à l'aéroport à temps pour notre vol. J'espère que nous y arriverons, mais, dans le cas contraire, ce ne sera pas la fin du monde.* Pensez-vous que ces pensées auraient contribué à apaiser mon esprit ? C'est évident ! En plus, ces pensées « de rechange » auraient eu beaucoup plus de sens parce qu'elles étaient plus justes.

Nos exagérations sont rarement justifiées. Mon trajet jusqu'à l'aéroport durant cette journée de tempête hivernale en est un exemple. Oui, nous avons été retardés. En fait, nous sommes arrivés à l'hôtel de l'aéroport (où incidemment il n'y avait pas eu un seul flocon !) à 1 heure du matin, mais nous avons quand même pu profiter de quelques heures de sommeil avant notre départ. Nous avons atteint l'aéroport et notre avion s'est envolé sans anicroche avec nous à son bord. Le seul désastre a été celui que j'ai créé dans mon esprit tandis que je me lamentais dans le blizzard.

Cette nouvelle habitude du discours plus juste et plus vrai vous aidera à apaiser votre esprit. En tout cas, elle a certainement contribué à me faire dépasser ma période *pourquoi ces choses-là m'arrivent-elles **toujours** à moi ?*... En fait, pendant la rédaction de ce livre, mon mari et moi devions assister à un colloque à Orlando. Nous avions vraiment hâte de faire ce voyage, mais les bulletins météorologiques rapportaient qu'un ouragan de force 4 allait vraisemblablement frapper la Floride le jour de notre départ.

En appliquant cette technique, c'est-à-dire en détectant et en rectifiant mes pensées *tout ou rien*, j'ai été capable de tenir l'anxiété en échec. Au lieu de laisser la situation m'angoisser et mon imagination s'emballer, j'ai élaboré un plan B. J'ai dit à Terry, mon mari : « Les enfants sont pris en charge pour la semaine, alors si nous ne pouvons pas aller à Orlando, allons ailleurs. Prenons la semaine et tirons-en le maximum. »

Mon discours positif a non seulement apaisé mon esprit et empêché l'angoisse de montrer son horrible museau, mais l'idée d'un voyage impromptu vers une destination non planifiée m'a enthousiasmée. En fin de compte, nous avons pu prendre notre vol pour Orlando avec seulement trois heures de retard. Et tout ce temps, je suis restée sereine.

Prenez l'habitude de détecter et de rectifier vos pensées *tout ou rien*. En vous servant d'affirmations plus justes pour décrire votre situation, vous verrez votre désespoir profond se muer en sérénité et en espoir. Vous devrez peut-être mettre du temps et des efforts pour développer cette habileté, mais le jeu en vaut la chandelle.

Évitez de vous apitoyer
sur votre sort

L'*anxieuse* dit :   « Je fais pitié. »

L'*audacieuse* dit : « J'ai confiance que toutes mes expériences me servent. »

« J'ai foi dans le processus de la vie. »

« Je suis en paix. »

Vous rêviez de vos vacances sous les Tropiques depuis un an et il a plu durant tout votre séjour. Vous avez suivi votre régime et votre programme d'exercice toute la semaine, et vous avez quand même pris un kilo. Vous avez finalement obtenu l'emploi de vos rêves, mais vous avez été congédiée un mois plus tard.

La vie est pleine de rebondissements inattendus. Quand les événements imprévisibles ne répondent pas à nos attentes, nous ressentons de la colère, de la souffrance et de la frustration. Est-ce que c'est mal d'être hors de soi quand les choses ne tournent pas comme on le souhaite ? Bien sûr que non ! Reconnaissez votre déception et permettez-vous de ressentir votre colère, de pleurer et de vous défouler… mais ne vous éternisez pas.

Évitez de vous accrocher à vos émotions difficiles durant de longues périodes : en les entretenant, vous perdrez beaucoup de temps précieux. Chaque minute vécue dans la colère est une minute de bonheur perdue. La colère engendre une perte d'harmonie et l'anxiété tue la paix. C'est votre vie. Ce sont vos moments. Votre humeur n'est pas déterminée par les circonstances ; vous en êtes responsable, car c'est vous qui la choisissez.

Je sais bien que ce genre de choix paraît parfois impossible, en particulier face à un incident qu'on qualifie d'injuste. Je me suis rappelé à quel point l'exercice pouvait s'avérer exigeant le jour où j'ai voulu retirer de l'argent d'un guichet automatique bancaire alors que j'étais de passage à Dallas. J'ai glissé ma carte dans le lecteur, entré mon numéro d'identification personnel ainsi que le montant du retrait, soit deux cents dollars. Puis, j'ai pressé *Entrée* et un message s'est affiché à l'écran : « Transaction en cours de traitement. » Après une attente qui m'a paru inhabituellement longue, un nouveau message est apparu : « Institution financière non reconnue. Terminal fermé. » L'écran s'est éteint. J'ai attendu quelques minutes pour voir s'il se rallumerait, mais il ne s'est rien produit. Je suis donc partie en quête d'un autre guichet.

Deux jours plus tard, en faisant la conciliation de mon compte en ligne, j'ai découvert que la société exploitant le guichet où j'avais tenté de retirer de l'argent avait *de fait* débité le montant de mon compte, en y ajoutant le taux de change *ainsi qu'*une somme importante en frais de service, *même si* je n'avais pas obtenu un cent ! J'ai immédiatement téléphoné à mon institution financière pour expliquer l'incident. Le représentant du service à la clientèle m'a assurée qu'on étudierait mon dossier, mais il m'a aussi expliqué que je ne reverrais probablement pas mon argent, étant donné qu'il s'agissait d'un guichet indépendant. J'étais furieuse ! Je n'étais pas en colère contre mon institution financière, mais contre la société propriétaire du guichet défectueux qui allait s'en sortir à bon compte *et* garder mon argent.

Oui, les choses sont parfois injustes. Et dans de telles situations, il est tout à fait justifié de reconnaître ce qu'on ressent… pour ensuite choisir de passer à autre chose. C'est la deuxième étape qui est la plus importante. Vous devez aller de l'avant, sinon vous tomberez à coup sûr dans l'apitoiement, ce qui ne vous sert pas. En fait, quand vous tombez dans l'apitoiement, vous vous transformez en victime et vous abdiquez votre pouvoir ; de *puissante*, vous devenez *impuissante*.

Le sentiment d'impuissance engendre beaucoup d'anxiété, car on s'inquiète plus volontiers de ce sur quoi l'on s'imagine n'avoir aucune emprise. Au bout du compte, en choisissant de vous apitoyer sur votre sort, vous choisissez d'abandonner votre maîtrise et votre sérénité. Cela dit, il est important de comprendre que chacun vit des moments où il se sent pitoyable. Après tout, nous sommes humains. Par contre, il est essentiel de reconnaître votre apitoiement et de choisir de vous réapproprier votre pouvoir et d'aller de l'avant.

Comment faire ? Une stratégie efficace serait de réécrire le scénario. Autrement dit, donnez une conclusion satisfaisante à l'histoire. Voici la conclusion que j'ai imaginée pour m'aider à me libérer de ma colère et de mon sentiment d'apitoiement : j'ai imaginé que dès que je m'éloignais du guichet, l'argent en sortait. À cet instant, une mère monoparentale, qui peinait à joindre les deux bouts, passa devant le guichet et vit l'argent. Dans ma visualisation, sa joie et son soulagement étaient tels que ma colère s'est dissipée et je me suis sentie beaucoup mieux.

A priori, on pourra trouver l'idée idiote, mais qu'est-ce qui est le plus idiot : s'accrocher à un sentiment de rage stérile ou faire ce qu'on peut pour s'en défaire — même s'il faut pour cela se servir de son imagination et créer une histoire plus facile à encaisser ? L'exercice ne changera rien à l'injustice que vous avez vécue et, en le faisant, vous ne cautionnerez pas ce qui s'est produit. Bien entendu, devant une injustice, il faut étudier soigneusement la situation. Si vous détectez un problème devant être résolu, faites ce que vous pouvez pour que justice soit faite. Changez ce qui doit être changé et apprenez votre leçon (dans mon cas, j'ai décidé d'éviter les guichets automatiques bancaires indépendants). Ensuite, lâchez prise.

Quand la vie vous en fait voir de toutes les couleurs, une autre façon de garder votre pouvoir et votre sérénité consiste à choisir de croire qu'au bout du compte, toute nouvelle expérience servira votre bien. Personnellement, je crois que tout ce qui m'arrive sert un but. Pourtant, je dois avouer qu'il faut parfois faire un effort pour dégager les aspects positifs d'une expérience déplaisante. Ainsi, prenez cette rencontre désagréable que j'ai faite en décidant de me trouver un emploi à temps plein. Une société d'assurance m'offrait un poste pour six mois : il fallait remplacer une employée en congé de maladie. J'ai sauté sur l'occasion, car j'avais de la difficulté à me trouver du travail. Il s'est avéré que j'avais bien fait. J'ai aimé l'emploi — et cet indispensable chèque de paye — au point où j'étais plutôt chagrinée quand il a pris fin.

Quelques semaines plus tard, l'employée que je remplaçais m'a téléphoné pour me demander si je savais où était le dossier d'un certain client. La question était vraiment bizarre parce qu'il y avait des semaines que j'avais travaillé dans cette société. J'ai répondu que je ne savais pas où était le dossier et l'employée m'a remerciée avant de raccrocher. Quelques mois plus tard, j'ai rencontré le directeur de la société par hasard dans un centre commercial. Nous avons bavardé quelques minutes et je lui annoncé la bonne nouvelle, à savoir que j'avais décroché un emploi permanent dans une firme de planification financière. Il a dit : « Ce doit être pour cela que vous avez refusé notre offre d'emploi. »

Perplexe, je l'ai questionné : « Quelle offre d'emploi ? » Il m'a expliqué que l'employée que j'avais remplacée avait décidé de démissionner et qu'il lui avait demandé de me téléphoner pour me proposer de la remplacer de façon permanente. J'étais plus intriguée que jamais. Cette femme m'avait-elle demandé cette question bizarre pour pouvoir dire « sans mentir » à son patron qu'elle m'avait téléphoné ? Et pourquoi ne m'avait-elle pas offert l'emploi ? J'ai investi plus de temps et d'énergie que je ne saurais l'admettre à tenter de comprendre le « pourquoi » de son geste. Au bout du compte, j'ai cessé de m'acharner et j'ai poursuivi mon chemin — jusqu'à aujourd'hui.

Car aujourd'hui, dix ans plus tard, et avec l'avantage du recul, j'ai recommencé à me poser la question. Je me suis demandé ceci : *Quelle pourrait bien être la raison positive de ma rencontre avec cette employée ?* La réponse m'est apparue subitement : si elle m'avait offert l'emploi, je l'aurais accepté. Je n'aurais pas été engagée par la société de planification financière où j'ai rencontré l'homme que j'ai épousé et avec qui j'ai eu deux belles filles. Par ailleurs, la société qui m'a embauchée m'a *payée* pour acquérir des compétences en communication, en plus de m'inscrire à un séminaire où j'ai rencontré la personne qui m'a servi de mentor durant mon cheminement vers le métier de conférencière. Si l'employée de la compagnie d'assurance m'avait offert son poste, je serais passée à côté de ma vie actuelle.

Avez-vous déjà vécu une situation ou une rencontre déplaisante qui, au bout du compte, vous a été bénéfique ? Par exemple, l'expérience a-t-elle fait de vous une femme plus forte ou plus éclairée ? Vous a-t-elle poussée à poser des gestes qui ont changé la vie d'autrui ? Vous a-t-elle enseigné une leçon ou fait vivre une expérience que vous auriez autrement ratée ? Quand on prend l'habitude de chercher l'aspect positif dans chaque événement, on supporte avec plus d'aisance les rencontres désagréables. Si vous êtes incapable de dégager un seul aspect positif, ayez confiance dans le processus de la vie et croyez que vous tirerez quelque chose de bon de tout ce qui vous arrive. Vous pourrez ainsi conserver votre pouvoir et votre sérénité d'esprit.

La prochaine fois que vous serez confrontée à un rebondissement de l'existence, reconnaissez vos émotions et ensuite, passez à autre chose. Essayez de réécrire le scénario et ayez confiance qu'au bout du compte, ce qui arrive servira votre bien. Souvent, l'expérience la plus difficile à supporter se révèle la meilleure qui puisse nous arriver. C'est pourquoi je n'ai qu'un mot à dire à cette employée d'il y a si longtemps : *merci !*

Libérez-vous de la culpabilité

L'*anxieuse* dit :   « Je devrais/Je ne devrais pas. »

L'*audacieuse* dit :   « Je fais de mon mieux et c'est suffisant. »

« Je fais ce qui convient à la situation. »

« Je peux choisir d'agir et procéder à des changements positifs. »

Un jour, peu de temps après la rentrée scolaire, j'ai rappelé à ma fille, alors âgée de huit ans, de ne pas oublier de mettre ses vêtements de danse dans son sac d'école. Visiblement peu enthousiaste devant ma demande, elle a laissé échapper un long soupir avant de déclarer : « Maman, pourquoi est-ce qu'il faut *toujours* que je prépare mon sac moi-même ? *Toutes* les autres mères font *toujours* le sac de leur enfant. »

Ah ! Ce sentiment de culpabilité... Il y eut un temps où la stratégie de ma fille aurait fonctionné. Il y eut un temps où mon discours intérieur aurait ressemblé à ceci : *Si j'étais une <u>bonne</u> mère, je préparerais le sac de ma fille comme <u>toutes</u> les autres mères.* Ensuite, je me serais précipitée pour préparer son sac ou je me serais torturée au moins le reste de la journée parce que je n'étais pas une aussi bonne mère que les autres. Mais les temps ont changé, bébé, et si je prépare des sacs encore aujourd'hui, ce n'est certainement pas pour y mettre de la culpabilité !

Nous avons presque toutes ressenti de la culpabilité à un moment ou à un autre de notre vie. Je ne parle pas du sentiment qu'on pourrait ressentir en contrevenant à la loi ou en commettant un crime. Je parle de votre souffrance quand vous ne pouvez pas être là pour vos enfants, votre famille ou votre partenaire ; je parle de la sensation qui noue l'estomac quand on se dit « oui » à soi et « non » à l'autre ; je pense à la honte qu'on ressent quand on ne se donne pas le droit d'être humain. Si vous avez déjà été aux prises avec de telles émotions, cette section vous fournira les informations nécessaires pour vous libérer de votre culpabilité.

Remettez en question les mots culpabilisants

Des mots comme *toujours* et *jamais* exercent un effet déclencheur, et comme je l'ai déjà mentionné, ils sont rarement exacts. La réponse de ma fille à ma demande était pleine de mots de ce genre. Je le lui ai fait remarquer : « Je doute vraiment que *toutes* les autres mères préparent *toujours* le sac de leur enfant. Par ailleurs, tu ne prépares pas *toujours* ton sac toi-même. »

Devrais est un autre mot déclencheur auquel il faut faire très attention — il a vraiment beaucoup d'impact. Par exemple, nombre de femmes qui travaillent à l'extérieur se sentent coupables parce qu'elles pensent qu'elles *devraient* rester à la maison avec leurs enfants ; de leur côté, plusieurs ménagères sont pareillement malheureuses parce qu'elles se disent qu'elles *devraient* contribuer aux revenus du ménage. Les femmes épuisées ont de la difficulté à se détendre parce qu'elles croient qu'elles *devraient* s'occuper à autre chose. Voyez-vous à quel point ce petit mot génère de l'angoisse ? Pour remettre en question les mots culpabilisants, demandez-vous ceci :

— « **Est-ce que cette phrase ou cette croyance est parfaitement juste ?** » Cette question vous rappellera de détecter et de rectifier les termes déstabilisants ; vous aurez ainsi le recul nécessaire pour vous libérer de votre sentiment de culpabilité. Décrivez ce qui vous fait ressentir ces sentiments et ensuite, encerclez les mots culpabilisants. Puis, réécrivez vos émotions en les décrivant sous une lumière plus juste et en éliminant les mots encerclés.

Cessez de vous juger

Vous ressentez de la culpabilité quand vous jugez que vos choix sont bons ou mauvais. Quand on pense qu'on a fait un mauvais choix, on se sent coupable ; or, le problème, c'est que le monde n'est pas noir et blanc. Il présente une multitude de tonalités de gris, alors rien n'est jamais aussi simple que « bon ou mauvais ». Pour cesser de vous juger, posez-vous des questions un peu plus approfondies. En voici deux :

1. « **Est-ce que je fais de mon mieux ?** » Bon. Vous ressentez de la culpabilité parce que vous avez dû travailler tard, la maison n'est pas aussi propre qu'elle *devrait* l'être… selon vos critères, le gazon n'a pas été tondu, vous avez mangé une deuxième pointe de tarte, vous avez été sèche avec vos enfants au petit-déjeuner. Rien ne sert de vous punir ! Ce qui est fait est fait et personne n'est parfait, alors n'exigez pas la perfection de vous-même. Vous pouvez seulement faire de votre mieux. *Faites de votre mieux et laissez faire le reste !*

2. « **Est-ce que ce que je fais convient à la situation ?** » Demander à ma fille de préparer elle-même son sac d'école

était-il approprié ? Absolument. En fait, il y a plus : elle apprenait par le fait même à se responsabiliser et à faire sa part dans la famille.

Est-ce qu'il convient de commander à dîner plutôt que de cuisiner quand vous rentrez tard du travail ? Mais bien sûr ! Avez-vous le droit de prendre le temps de vous détendre quand vous avez du courrier électronique et des appels téléphoniques à retourner ? Tout à fait. En fait, en prenant le temps de recharger vos batteries, vous serez plus productive que si vous vous poussez à la limite de l'épuisement.

Cependant, il est possible que vos réponses à ces questions révèlent que ce que vous faites ne convient pas ou que vous ne faites pas de votre mieux. Devriez-vous alors vous sentir coupable ? Absolument pas. Il ne sert à rien de vous faire des reproches ; mieux vaut élaborer un plan d'action, c'est plus productif.

Élaborez un plan d'action

Le plan d'action consiste à dresser une liste de stratégies visant à effectuer des changements positifs, à résoudre des problèmes et à tirer les leçons qui s'imposent de ses erreurs. Pour élaborer le vôtre, posez-vous les deux questions suivantes :

1. « Que puis-je faire pour améliorer la situation ? » Prenez une part active à votre stratégie d'amélioration. Par exemple, si vous ressentez de la culpabilité parce que vous travaillez de longues heures plutôt que de passer du temps en famille ou avec vos amies, élaborez un plan d'action où vous inscrirez des dates et des heures précises pour être avec eux. Non seulement vous soulagerez vos angoisses quand vous serez au travail, mais vous aurez aussi des plaisirs en perspective.

2. « Qu'est-ce que j'ai appris et qu'est-ce que je ferai différemment la prochaine fois ? » Parfois, le mieux que l'on puisse faire, c'est de reconnaître qu'on a commis une erreur, en tirer une leçon et poursuivre sa route. Quand vos expériences vous rendent plus sage et que vous prenez la décision consciente de changer votre comportement, vous évitez de répéter ce qui fait naître la culpabilité.

Se libérer de la culpabilité, c'est se donner l'occasion de vivre, de courir des risques, de commettre des erreurs et de ressentir la sérénité. Vous le méritez et tout commence avec ce premier petit changement en rapport avec ce que vous exigez quotidiennement de vous-même. Si vous êtes aux prises avec la culpabilité, changez de questions et demandez-vous : *Est-ce que cette phrase ou cette croyance est parfaitement juste ? Est-ce que je fais de mon mieux ? Est-ce que ce que je fais convient à la situation ? Que puis-je faire pour améliorer la situation ? Qu'est-ce que j'ai appris et qu'est-ce que je ferai différemment la prochaine fois ?* Essayez et vous constaterez avec stupéfaction que ces simples modifications vous aideront à vous libérer de la culpabilité.

Pensez en Technicolor

L'*anxieuse* dit :   « Je ne suis pas assez bien. »

L'*audacieuse* dit : « Je suis à la hauteur. »
            « Je suis entière et parfaite telle que je suis. »
            « Je m'aime. »

Un jour, j'avais cinq ou six ans à l'époque, ma sœur aînée et moi nous disputions comme nous le faisions souvent durant notre enfance. Exaspéré par notre chahut, mon père — qui était alors alcoolique — arriva en trombe sur le seuil de nos chambres voisines et hurla : « Je n'en peux plus de vous entendre vous disputer, vous deux ! J'en ai assez ; je vous place en adoption. » En disant cela, il lance deux valises sur le seuil de nos chambres et nous ordonne de faire nos bagages. Sidérées, ma sœur et moi étions clouées au sol.

Les pensées se bousculaient dans ma tête : je me voyais abandonnée sur le perron en béton d'une maison étrangère. J'ai paniqué. Ma mère étant au travail, j'étais certaine qu'elle ne pourrait jamais me retrouver. Je me suis mise à pleurer. Mon père a déclaré : « Si tu ne mets rien dans ta valise, tu pars comme ça. »

Je me suis dirigée vers le fond de ma chambre, j'ai ramassé un ourson sur une tablette, je suis revenue vers la valise et j'ai déposé l'ourson dedans. Je n'étais pas certaine que ma sœur avait mis quoi que ce soit dans la sienne ; j'étais trop effrayée et je sanglotais trop fort pour m'en soucier. Et puis, mon père a dit : « D'accord. Je ne vous mettrai pas en adoption cette fois-ci, mais si vous continuez à vous chamailler toutes les deux, je vais le faire ! Et vous ne dites rien à votre mère. » Après quoi, il est retourné au sous-sol.

C'est à partir de ce moment-là que je suis devenue perfectionniste. Après cette expérience, j'ai conclu qu'à moins d'être parfaite, les gens censés m'aimer ne m'aimeraient pas, et que si j'étais imparfaite, je ne valais rien et que j'allais être jetée aux ordures.

Mon père n'avait absolument pas l'intention de provoquer une telle réaction. Tout ce qu'il voulait, c'était que ma sœur et moi cessions de nous quereller pour qu'il puisse avoir un peu de calme et de silence. J'ai deux filles et je comprends tout à fait combien les enfants qui se chamaillent constamment finissent par nous mettre à bout de nerfs. Mon père ne voulait pas nous faire de mal. Nous n'avons jamais été victimes de mauvais traitements et il n'avait absolument aucune idée de l'impact de ses paroles. Pourtant, ses propos m'ont affectée et j'ai lutté des années pour me calquer sur un modèle impossible, me détestant parce que je n'y arrivais pas.

Si vous êtes perfectionniste, vous ne vous rappelez peut-être pas l'événement déclencheur ayant donné naissance à vos croyances. En fait, il se peut qu'il n'y ait pas eu *un seul* événement, mais plusieurs qui ont fini par vous peser comme un fardeau. Quel qu'en soit l'objet, le perfectionnisme engendre l'anxiété.

Regardez les choses sous cet angle : si, comme bien des femmes, vous brûlez d'avoir une apparence impeccable, vous serez encline à broyer du noir à propos de votre âge, de votre poids ou de votre garde-robe. Si vous êtes déterminée à ne jamais vous tromper sur le plan professionnel, vous vous inquiéterez de commettre des erreurs, d'être rejetée, de perdre des ventes ou de ne pas être la première dans votre domaine.

Je sais que la quête d'excellence a sa raison d'être et que vous êtes parfois bien servie en vous donnant des critères élevés. On est certainement récompensé quand on fait constamment de son mieux et qu'on soigne ses efforts. Cependant, si vous vous inquiétez en pensant que vos efforts seront toujours insuffisants, peu importent vos tentatives — que *vous* ne serez jamais à la hauteur —, votre perfectionnisme vous nuit. Pour vous en défaire, pensez en Technicolor plutôt qu'en noir et blanc. Quand on voit les choses uniquement en noir et blanc, qu'on les divise en bonnes ou mauvaises, la moindre petite erreur devient un échec retentissant.

C'est un piège courant pour les personnes qui essaient de perdre du poids. Avez-vous déjà suivi une diète et mangé un aliment qui n'était pas au programme du régime que vous suiviez ? Vous avez sûrement dû penser : *Ça y est ! J'ai tout fichu en l'air !* Après vous être rabrouée, vous êtes tombée dans l'excès en vous promettant que vous reprendriez votre régime dès le lendemain et que, cette fois, vous le suiviez à la lettre. Je sais ce que c'est, je l'ai vécu ! Pour les perfectionnistes au régime, c'est un épisode récurrent.

Aussi ironique que cela soit, le perfectionnisme peut vous programmer pour échouer. Dans son livre *Be Happy You Are Loved*, Robert Schuller a écrit une phrase formidable que je vous suggère de répéter quand le perfectionnisme vous guette : « Il vaut mieux faire quelque chose imparfaitement que ne rien faire parfaitement ! » Quand on commet une erreur, c'est le signe qu'on fait quelque chose de bien : cela prouve qu'au moins, on *agit* !

Heureusement, le monde n'est pas que noir et blanc. Il est pourpre, vert, bleu, magenta, turquoise, orange, rose, rouge, lilas, jaune et une myriade d'autres nuances. C'est le temps de penser en Technicolor et de faire entrer ces nuances dans votre vie. Cela signifie changer le discours que vous vous tenez. Pour y arriver, quand vous vous surprenez à penser : *Je n'ai rien fait de bien*, changez votre réflexion pour : *Je n'ai peut-être pas tout fait à la perfection, mais je n'ai pas tout fait de travers non plus.* C'est une excellente façon de retrouver un peu d'objectivité et de stopper votre chute en spirale vers l'abîme des attentes irréalistes. Prêtez attention à ce que vous exigez de vous-même. Si vous jugez que dans certains domaines de votre vie, des critères plus souples donneraient de meilleurs résultats, pensez en Technicolor et programmez votre vie pour réussir.

Pour ce qui est de mon père, c'est un homme remarquable et je l'aime énormément. Il a cessé de boire il y a plus de vingt ans et n'a jamais repris une goutte depuis. C'est un bon père de famille et un grand-père formidable. Si vous le voyiez jouer à cache-cache avec mes filles dans la maison, vous seriez certainement d'accord avec moi. Mon père est comme nous tous : un être ayant commis des erreurs qui l'ont fait grandir. Je suis fière de lui et je suis heureuse qu'il soit mon père.

Quand je regarde en arrière, j'accueille toutes les expériences que j'ai vécues en grandissant avec un parent alcoolique, parce que ce sont elles qui ont fait de moi la femme que je suis — et je m'aime telle que je suis. Vous êtes vous aussi parfaite telle que vous êtes. Rien — ni ce qu'annonce votre pèse-personne, ni le solde de votre compte de banque, ni les chiffres décorant votre gâteau d'anniversaire — ne pourra jamais altérer la merveille de votre nature. Vous n'avez pas besoin de chercher à être méritante ni à lutter pour le devenir : vous l'êtes déjà. Commencez à le croire en affirmant ceci : *Je suis à la hauteur. Je suis entière et parfaite telle que je suis. Je m'aime.*

Cessez de juger

L'*anxieuse* dit :   « Que font-ils de mal ? »

L'*audacieuse* dit : « Y aurait-il des faits qui m'échappent et qui pourraient m'aider à comprendre leur point de vue ? »

« Qu'est-ce que cela me pousse à reconnaître à propos de mes choix ? »

« Par quels changements puis-je améliorer ma situation ? »

Avez-vous déjà participé à un encan ? L'expérience peut être très excitante, en particulier quand on est vraiment intéressé par les articles proposés. Mais imaginez que vous assistez à un encan où vous découvrez que l'article proposé est une tortue de mer bien vivante et que les participants misent sur la chance de *détruire* la splendide et massive carapace de la bête. Seriez-vous enthousiaste à l'idée de participer ? Pas moi.

C'était notre première soirée sur une splendide île du Pacifique Sud : mon conjoint et moi dînions sur la plage avec onze autres couples en vacances. Juste avant le repas, on nous annonça que durant la journée, des pêcheurs avaient capturé des carets et qu'ils seraient mis à l'encan après le dîner. Les plus offrants gagneraient la chance de graver un message sur la carapace d'une des tortues. Tandis que les autres convives riaient en discutant de ce qu'ils écriraient s'ils gagnaient, je songeais que toute cette histoire était abominable et que je ne voulais pas être complice.

Avant l'encan, le propriétaire de l'île s'est adressé à nous. Il nous a expliqué que les carets étaient une espèce en danger que les braconniers continuaient de chasser et de tuer pour leur précieuse carapace. Souhaitant les sauver, le propriétaire avait lancé un programme de conservation consistant à acheter les carets aux pêcheurs et à les relâcher après avoir d'abord gravé quelques marques sur leur carapace. Les marques ne blessent pas les tortues, mais leur carapace perd ainsi toute valeur. Par conséquent, les braconniers n'essaient plus de les capturer et l'espèce peut ainsi continuer à vivre et à se reproduire. Les encans contribuent à amasser suffisamment de fonds pour poursuivre le programme de pêche avec remise à l'eau. En entendant ces explications, j'ai pris conscience que j'avais supposé le pire et que je m'étais trompée.

Avez-vous déjà jugé avant de connaître les faits ? C'est facile, mais pourquoi agir ainsi ? Je crois que c'est, entre autres raisons, parce qu'on tente d'avoir une meilleure opinion de soi. C'est en tout cas ce que je faisais à l'encan de tortues. J'essayais de justifier le fait que j'étais en vacances sans mes deux petites filles. Mon esprit restait fixé sur la scène de nos adieux, à la maison de leurs grands-parents, quand les filles avaient pleuré en me suppliant de rester. Je me faisais du souci à leur sujet et je me trouvais sans cœur d'avoir décidé de les laisser. Pour soulager ma conscience, j'avais jeté un regard critique sur les autres couples en pensant : *J'ai peut-être laissé mes enfants chez leurs grands-parents, mais moi, au moins, je ne suis pas aussi mauvaise que ces destructeurs de tortues.*

Si vous avez déjà jugé autrui sévèrement dans un effort pour vous sentir mieux (comme je l'ai fait), vous aurez probablement compris que cela ne fonctionne pas. En fait, on se sent encore plus coupable, et pour un certain nombre de raisons.

1. Quand nous critiquons les autres, nous regardons généralement leurs défauts et leurs faiblesses, plutôt que leurs forces. Chaque fois que nous insistons sur le négatif, nous érodons notre sérénité et notre contentement, et faisons naître en nous le tumulte et le ressentiment.

2. Ce que l'autre a fait ou n'a pas fait ne change rien à ce que vous, vous avez fait. Ainsi, même si ces « destructeurs de tortues » avaient blessé les carets sans raison apparente, cela n'aurait rien changé au fait que j'avais décidé de faire garder mes enfants pour pouvoir partir en vacances. En plus d'être tourmentée par mes décisions, je l'aurais aussi été à cause de celles des autres, faisant ainsi... d'une pierre deux coups !

3. Plus vous jugez sévèrement autrui, plus vous êtes critique envers vous-même. C'est que vous établissez une comparaison entre les autres et vous. Vous comparez leurs choix, leurs gestes et leurs croyances aux vôtres. Chaque fois que vous vous comparez aux autres, vous courez le risque d'être la personne qui ne répond pas aux attentes. Pour finir le plat, les domaines où vous critiquez le plus sévèrement autrui sont ceux où vous accusez la plus grande faiblesse. Par ailleurs, quand vous condamnez l'autre afin de vous sentir mieux par rapport à ce que vous percevez comme vos défauts, vous tournez votre projecteur mental vers les éléments de votre personnalité que vous détestez le plus.

La bonne nouvelle, c'est que vous avez le pouvoir de changer instantanément et du tout au tout. Il suffit de choisir d'être *curieuse* plutôt que *critique* ; autrement dit, cherchez à comprendre les autres plutôt qu'à les condamner. Cela ne signifie pas que vous devez écarter vos opinions et vos croyances. Au lieu de cela, recueillez les faits l'esprit ouvert, au meilleur de vos possibilités. Essayez de comprendre la situation en adoptant un point de vue cordial et curieux ; vous serez ainsi mieux placée pour apprendre des expériences, des situations et des circonstances du quotidien. Votre sérénité et votre satisfaction grandiront proportionnellement.

Cesser de juger procure également un autre avantage important : moins vous condamnez autrui, moins vous vous trouvez inadéquate. Vous prenez l'habitude d'envisager chaque situation — y compris la vôtre — du point de vue de la curiosité. Par conséquent, quand vous avez l'impression de ne pas avoir été à la hauteur, vous n'avez plus besoin de vous accabler d'injures. Au lieu de cela, comme vous vous aimez et que vous vous acceptez davantage, vous puisez la force de procéder à des changements positifs tout en conservant votre sérénité.

Si vous prenez conscience que vous jugez autrui sévèrement, retrouvez votre sérénité en changeant de mode de pensée ; de critique, devenez curieuse. Recueillez objectivement les faits, cherchez à comprendre plutôt qu'à blâmer et souvenez-vous des carets — en particulier de celui qui nage quelque part dans le Pacifique *avec mon nom gravé sur sa carapace* !

Insistez sur l'aspect positif

L'*anxieuse* dit :   « Qu'est-ce qui pourrait mal tourner ? »

L'*audacieuse* dit : « Qu'est-ce qui pourrait bien tourner ? »
« Quel est l'avantage de cette situation ? »
« Que me reste-t-il ? »

Il était quatre heures trente quand le téléphone a sonné. C'était ma mère, m'informant que mon grand-père venait de subir un arrêt cardiaque. Nous étions cinq jours avant Noël.

M'habillant à la hâte, je me suis précipitée vers ma voiture pour entreprendre le trajet de deux heures qui me mènerait à l'hôpital. J'étais soulagée qu'il ne neige pas ; je savais que l'aube claire et froide faciliterait la conduite. Quoi qu'il en soit, les heures passées au volant à me demander si mon grand-père tiendrait le coup ont été terriblement difficiles. La dernière fois que j'avais reçu un appel de ce genre, c'était quand ma grand-mère avait été hospitalisée pour un cancer. Son état avait empiré et l'on m'avait téléphoné de l'hôpital pour me conseiller de venir au plus tôt. Comme elle était morte avant que j'arrive, je me demandais si j'allais revivre la même expérience. J'avais peur que mon grand-père meure avant que je n'aie la chance de lui dire adieu et de le serrer une dernière fois dans mes bras.

Une fois à l'hôpital, je me suis rapidement dirigée vers l'unité de cardiologie, incertaine quant à ce qui m'attendait. J'ai été pour le moins étonnée ! Bardé d'intraveineuses et branché à plusieurs moniteurs, le visage disparaissant sous un masque à oxygène et visiblement dans un état de grand inconfort, mon grand-père n'en restait pas moins le même homme courageux. En fait, quand l'infirmière lui a dit qu'il fallait prendre une « photo » de sa poitrine, il lui a répondu en blaguant : « Je ne sais pas si je devrais vous laisser faire. Vous pourriez essayer de la vendre sur eBay. » L'infirmière lui a répondu : « Je ne dirais pas non à un peu d'argent supplémentaire. » Mon grand-père a rétorqué : « D'accord. Mais laissez-moi l'autographier ; elle vaudra plus cher. »

La « photo » a révélé que deux des trois principales artères du cœur étaient complètement obstruées et que la troisième l'était à quatre-vingt-dix pour cent. Il fallait procéder à une angioplastie afin de débloquer la troisième artère : les médecins nous ont avertis que le patient pourrait ne pas survire à l'intervention. Pourtant, avant l'opération, mon grand-père a regardé ma mère et lui a dit : « Ne t'inquiète pas. Je n'irai nulle part. »

Tandis que j'attendais la fin de l'intervention, assise dans la salle d'attente, j'ai soudainement pris conscience qu'on pouvait se concentrer sur l'aspect positif de n'importe quelle situation, même potentiellement fatale. C'est ce que mon grand-père faisait. Au lieu d'appréhender sa mort possible, il se concentrait sur ses probabilités de survie. Sa famille a pu affronter un peu plus aisément cette expérience terrifiante grâce à son optimisme, que je crois d'ailleurs en partie responsable de sa guérison. En effet, mon grand-père est sorti de l'hôpital à temps pour assister au dîner de famille à Noël.

La vie comporte beaucoup d'épreuves — qu'il s'agisse de petits désagréments comme faire deux heures de route à l'aube pour se rendre à l'hôpital, d'une épreuve aussi pénible que survivre à une chirurgie potentiellement mortelle, ou de n'importe quoi d'autre entre ces deux extrêmes. On peut néanmoins rendre les épreuves plus supportables en insistant simplement sur leur aspect positif. Comment faire quand vous vivez un événement horrible ? Le truc consiste à se concentrer sur ce qui pourrait bien aller plutôt que sur ce qui pourrait mal tourner. C'est une habileté essentielle que vous devez maîtriser, car vous accroissez votre angoisse en songeant uniquement à ce qui pourrait mal tourner. En dirigeant vos pensées ailleurs, vous retrouverez votre calme.

Se concentrer sur le positif équivaut-il à nier l'existence du négatif ? Pas du tout. De cette manière, vous évitez simplement de vous laisser anéantir par les aspects négatifs de la situation. Au lieu de cela, vous insistez sur ses aspects positifs, sachant qu'ainsi, vous serez inspirée et vous retrouverez l'espoir et le courage de croire à la possibilité d'une issue favorable. Par le fait même, vous soulagez vos angoisses.

Une deuxième façon d'insister sur l'aspect positif consiste à se questionner : *Quel est l'avantage de cette situation ?* Derrière l'urgence médicale se cachait un cadeau pour ma famille : l'épreuve nous a réunis à Noël alors que nous n'avions pas prévu d'être ensemble. Bien que nous aurions certes pu nous réunir pour une autre raison à l'occasion des Fêtes, c'était quand même bon d'être ensemble.

La situation a aussi comporté un avantage pour mon grand-père : il a apporté certaines améliorations à son mode de vie, ce qui augmentera peut-être sa longévité. Cinq mois après sa chirurgie, je lui ai demandé quel cadeau se cachait derrière son expérience. Il m'a répondu qu'il avait perdu les dix kilos en trop qu'il traînait depuis des années, que son angine avait disparu et qu'il ne s'était pas senti aussi en forme depuis des années. Quand on dégage le bienfait que cache l'épreuve, la gratitude qu'on ressent apaise tout particulièrement l'esprit.

Comme j'ai pu le constater, il est parfois difficile de découvrir quel est l'avantage de certaines situations problématiques. J'avais passé trois heures et demie devant mon ordinateur à rédiger le texte de la chronique hebdomadaire que j'animais dans le cadre d'une émission de télévision. J'avais travaillé plusieurs jours pour trouver comment transmettre mon message et j'étais contente d'y être finalement arrivée. Sans que je comprenne comment, *j'ai entièrement* effacé le texte avant de l'avoir imprimé. J'ai essayé de le récupérer, mais sans succès. J'ai téléphoné à un spécialiste afin qu'il retrouve mes données, mais il en a été incapable. Tout avait disparu. Tout mon travail, toutes mes idées… disparus en un clin d'œil en pressant une touche.

Comme j'avais besoin d'être consolée, j'ai téléphoné à mon mari. Pour me réconforter, il m'a dit : « Ça va aller. Tu l'as créé, alors il est encore en toi quelque part. » Ensuite, pour me remonter le moral, il a ajouté : « Peut-être est-ce arrivé pour une bonne raison ; peut-être que, quand tu le rééécriras, il sera encore mieux. » Il me servait là mes propres leçons ! Quand une tuile vous tombe dessus, laissez-moi vous dire que la dernière chose que vous souhaitez, c'est qu'on vous dise que c'est arrivé pour une bonne raison. Pourtant, après avoir surmonté le choc initial d'avoir perdu toutes ces heures de travail, j'ai pris conscience que Terry avait raison et j'ai réussi à recréer une chronique formidable.

Mon mari avait raison de se concentrer sur le bon côté de cette situation déplorable. Ne vous méprenez pas : je ne dis pas que vous devriez sourire tout le temps. La vie a ses hauts et ses bas, et quand ça va mal, il est tout à fait acceptable de vivre de la frustration. Mais regardons les choses en face : même si la tentation est forte, vous n'irez que plus mal si vous vous concentrez trop longtemps sur le côté négatif.

En plus de penser à ce qui pourrait bien tourner et de réfléchir à l'avantage de la situation, vous pouvez aussi faire basculer votre point de vue du négatif au positif en faisant le compte de ce qu'il vous reste. Je crois que c'est Robert Schuller qui l'exprime le mieux dans son livre *Be Happy You Are Loved*, quand il écrit : « Considérez ce qu'il vous reste et non ce que vous avez perdu. »

Il me restait encore des années de travail dans mon ordinateur et mon système de secours. La situation aurait pu être encore plus catastrophique. Un virus aurait pu effacer tous les fichiers du disque dur, mais ce n'était pas le cas. Toutefois, il arrive que ce qu'on perd soit beaucoup plus important que des mots sur un écran. Se concentrer sur ce qu'il reste signifie-t-il qu'on doit oublier ce qui n'est plus ? Pas du tout. Une partie de ce qu'il reste vit dans vos souvenirs et vos souvenirs vous appartiennent. Regardez ce qu'il vous reste : vous ne vous épuiserez plus pour ce que vous n'avez plus, et ainsi, vous ne passerez pas à côté des nouveaux souvenirs qu'il vous reste encore à engranger.

La prochaine fois que vous vous retrouverez en situation de stress, insistez sur son aspect positif. Demandez-vous ceci : *Qu'est-ce qui pourrait bien tourner ? Quel est l'avantage de cette situation ? Que me reste-t-il ?* Voyez comment vos réponses arrivent à faire basculer votre point de vue vers le positif, à dissoudre les sentiments qui vous bouleversent et à apaiser votre esprit inquiet.

Arrêtez le
« train des suppositions »

L'*anxieuse* dit : « Et si ? »

L'*audacieuse* dit : « Qu'est-ce qui *est maintenant* ? »

« Est-ce que cela aura encore de l'importance dans un an ? »

« Je vais passer au travers ! »

Et si j'avais une crevaison en me rendant à la réunion ?
Et si je n'avais pas le temps de retourner tous mes
courriers électroniques et mes coups de fil ? Et si je me
rendais ridicule à cette soirée ? Et si ? Et si ? Et si ? Étonnant
comment ces deux petits mots s'emparent rapidement de
votre train de pensées ! Si vous leur en donnez le pouvoir,
ils vous garderont éveillée toute la nuit, vous noueront l'estomac et vous vivrez un tourment psychologique constant.

Dans un précédent chapitre, vous avez appris à vous
libérer du « train des suppositions » en modifiant la question « est-ce *possible* que ce qui m'inquiète se produise ? »
en « est-ce *probable* ? ». Cette petite modification peut suffire
à vous faire retrouver votre sérénité. Dans ce chapitre,
vous allez apprendre à transformer votre discours intérieur et à le rendre nourricier. Le « train des suppositions »
fait partie de la catégorie des propos abusifs autodirigés ;
cela vaut donc la peine d'étudier deux autres questions et
d'appliquer une affirmation afin de changer son discours,
de se libérer de ce schéma de comportement destructeur et
de se réapproprier son pouvoir. Ne perdez plus une seule

minute de sommeil, ne laissez pas ce malaise peser une seconde de plus au creux de votre estomac, ne perdez plus de temps et d'énergie à alimenter le « train des suppositions ». Essayez plutôt ces trois remèdes :

1. Demandez-vous ceci : *Qu'est-ce qui est maintenant ?* Grâce à cette nouvelle question, vous cesserez d'imaginer d'éventuels problèmes et de ressasser le passé en vous concentrant sur le présent. Un exemple : imaginons que vous êtes inquiète à l'idée d'avoir une crevaison en vous rendant à une réunion. Mettez un terme au train des suppositions en vous rappelant que ce n'est pas ce qui vous arrive en ce moment. En ce moment, vous êtes en sécurité et, si vous le voulez, vous pouvez toujours vérifier le pneu de secours dans le coffre.

Il est important de reformuler la question et d'insister sur *ce qui est maintenant*, parce que le cerveau ne *sait* pas quand on est réellement en danger et quand on ne fait qu'imaginer des difficultés possibles. Quand vous conjurez des scénarios qui vous effraient, votre cerveau déclenche la réaction organique de lutte ou de fuite pour vous protéger. C'est une réaction fantastique si vous avez vraiment besoin de vous protéger. Mais si le train de vos pensées est la seule chose qui vous menace, le déclenchement répété de votre instinct de survie finira par affecter votre santé. Accordez un répit à votre esprit et à votre corps en ramenant consciemment vos pensées dans le présent et en reconnaissant que vous n'êtes pas physiquement en danger.

2. Demandez-vous ceci : *Est-ce que cela aura encore de l'importance dans un an ?* Si vous arrivez en retard à cette réunion parce que vous avez eu une crevaison, est-ce que ce sera encore grave dans un an ? Quelle différence si vos courriers électroniques attendent une journée de plus dans la boîte de réception de votre ordinateur pendant que vous prenez le temps de jouir de la vie ou de faire progresser un projet mis de côté depuis longtemps ? Cette petite faute d'orthographe aura-t-elle vraiment des résultats catastrophiques ? Si vous vous êtes mis les pieds dans les plats à la soirée de Noël de votre société, en souffrirez-vous encore dans un an ? Probablement pas. En fait, la majorité des sujets d'inquiétude qui mobilisent notre énergie sont finalement anodins.

Pour arriver à prendre du recul par rapport à vos angoisses et aux obstacles que vous rencontrez, demandez-vous ceci : *Est-ce que cela aura encore de l'importance dans un an ?* Cette question vous aidera à regagner une certaine objectivité ; elle vous rappellera que dans le grand ordre des choses, les événements de votre quotidien, ceux qui semblent si urgents, si frustrants et qui vous causent tant de stress, sont la plupart du temps plutôt insignifiants.

3. Affirmez ceci : *Je vais passer au travers !* Si vous pensez que ce qui vous inquiète *aura encore* de l'importance dans un an, affirmez ceci : *Je vais passer au travers !* Pensez à vos réalisations à ce jour : n'avez-vous pas réussi à tirer votre épingle du jeu avec la donne que la vie vous a distribuée ? Ne s'ensuit-il pas que vous serez capable de vous occuper de ce que l'avenir vous réserve ? Servez-vous de cette affirmation pour renforcer votre foi dans votre capacité à faire face à tout ce qui se présente. Une fois que vous croirez que vous pouvez faire face à n'importe quoi, vous découvrirez qu'il n'y a finalement pas de quoi s'inquiéter.

La prochaine fois que vous alimenterez le « train des suppositions » de votre temps et de votre énergie, revenez au présent en vous questionnant : *Qu'est-ce qui **est maintenant*** ? Retrouvez votre objectivité en vous demandant : *Est-ce que cela aura encore de l'importance dans un an* ? Et renforcez votre foi dans votre capacité à faire face à tout ce que la vie vous réserve en affirmant : *Je vais passer au travers* ! Ces « remèdes » guériront votre esprit de ses inquiétudes et lui apporteront la paix.

Gardez espoir

L'*anxieuse* dit :   « C'est sans espoir. »

L'*audacieuse* dit : « Je garde espoir. »
              « Tout est possible. »
              « Je crois à toutes les possibilités. »

Comment réagiriez-vous dans une situation de vie ou de mort ? Céderiez-vous à la panique ? Garderiez-vous votre sang-froid ? On peut difficilement prédire comment on répondra à moins d'avoir vécu la situation. J'ai vécu un événement semblable quand j'avais treize ans. C'était l'hiver et je jouais avec deux amis sur le lac Simcoe, glacé à cette époque de l'année. Au bout d'un moment, comme je m'ennuyais, je me suis éloignée. Je voulais m'amuser, alors j'ai inventé un jeu : je ramassais la gadoue en tas avec mes bottes, puis je sautais dessus pour la faire gicler dans tous les sens. J'en ai ramassé un très gros tas. Je savais qu'il ferait plein d'éclaboussures, aussi ai-je sauté avec beaucoup d'enthousiasme. Cette fois, j'ai senti mes genoux se mouiller. J'ai songé : *Oh non ! Je suis tombée sur la glace et maintenant, mon pantalon est trempé.* Alors que cette pensée me traversait l'esprit, j'ai senti ma chevelure s'étaler comme si je venais de plonger les pieds en premier dans une piscine. C'est là que j'ai compris que je n'étais pas tombée *sur* la glace ; j'avais passé *au travers*.

Encore aujourd'hui, je m'étonne de ma réaction. Je n'ai pas eu peur et je n'ai pas paniqué. J'ai senti le calme se faire en moi et mon esprit s'éclaircir. J'ai pensé : *Sors tes mains de tes poches, enlève tes mitaines et tes bottes et bats des pieds pour rester près de la surface.* La sensation était vraiment très étrange :

j'étais parfaitement rationnelle alors même que ma vie était en danger. Je me sentais calme et je n'avais pas la sensation que j'étais en train de me noyer. Je sais aujourd'hui que, la température de l'eau atteignant presque le point de congélation, mon corps commençait déjà à s'éteindre dans un effort pour se protéger.

Tandis que j'étais sous la glace, mon amie a remarqué que je n'étais plus là. Elle s'est tournée vers le garçon qui nous accompagnait pour lui demander où j'étais. Après avoir jeté un rapide coup d'œil aux alentours, les deux ont vu le trou dans la glace. Agissant d'instinct, mon amie a couru vers le trou, a plongé son bras dans l'eau glacée et cherché à tâtons jusqu'à ce qu'elle touche à ma chevelure. Elle l'a agrippée et m'a sortie de l'eau. C'est grâce à elle si je suis ici aujourd'hui, bien vivante et en santé.

Cette expérience m'a appris une chose : l'espoir élève ! En plus de me calmer et de me garder alerte, l'espoir m'a tenue près du trou dans la glace, ce qui a permis à mon amie de me secourir. Si j'avais perdu espoir, j'aurais certainement été prise de panique. La peur se serait emparée de mes pensées et aurait obscurci mon jugement. Et cet après-midi-là, même si elle avait essayé de toutes ses forces, mon amie aurait été incapable de m'atteindre.

Il est fréquent de ressentir ce calme inhumain dans une situation potentiellement fatale ; c'est l'une des façons dont s'enclenche la dynamique corps/esprit. Comment faire pour appliquer ce savoir au quotidien ? La plupart du temps, nous courons peu de risques de passer à travers la glace d'un lac ou de devoir lutter pour survivre. Par contre, la vie nous présente parfois des embûches qui précipitent notre chute dans une ornière. Rupture, diagnostic défavorable : vous devrez affronter toute votre vie des situations où votre réaction aura des conséquences significatives.

Dans ces moments-là, rappelez-vous que la panique fait sombrer, alors que l'espoir élève. La première fait naître la peur, l'angoisse et, par conséquent, l'épuisement ; elle fait sombrer corps et âme. Le second apporte le calme et replace les idées. L'espoir élève et aide à passer au travers des épreuves.

Il est tout à fait sensé de choisir ce sentiment positif, et pourtant, de nombreuses femmes décident consciemment de n'en rien faire. Pourquoi ? Elles croient que si elles ne se créent pas trop d'attentes, elles ne se retrouveront pas Gros-Jean comme devant, évitant ainsi la déception, le chagrin et la souffrance. Cette attitude est renforcée périodiquement par le conseil populaire qui recommande justement de ne pas se créer d'attentes.

Et pourtant, la question qu'il faut se poser est : *Pourquoi pas ?* N'est-il pas plus plaisant de vivre quand on a de grandes attentes ? Ne souffre-t-on pas de vivre *sans* une vision optimiste de l'avenir ? On déteste s'accommoder de ses peurs et de ses angoisses, non ? Quand vous choisissez de ne rien espérer, vous préservez-vous réellement de la souffrance ? Non. Par contre, vous passez à côté d'un grand nombre d'opportunités magnifiques et d'une existence heureuse, satisfaite et sereine.

Comment faire pour invalider cette logique bancale ? Comment retrouver l'espoir, même dans les moments où l'on sent qu'on perd pied ? Il faut croire que tout est possible. La confiance dans le champ des possibilités reste un message récurrent de ce livre, car c'est un concept essentiel qui vaut d'être répété.

Vos espoirs se nourrissent de votre foi en votre bonne fortune. N'abandonnez jamais, car tout est possible. En voici un exemple : un jour, j'ai été invitée à prononcer une conférence dans le cadre d'un colloque de deux jours auquel participait aussi Mary Higgins Clark. Quand j'ai su que la célèbre auteure de romans de suspense faisait partie des conférenciers, j'étais surexcitée ! Mon imagination s'est enflammée et je me suis mise à rêver aux conversations passionnantes que nous aurions ensemble. Le premier matin de l'événement, après mon atelier, je me suis précipitée à l'auditorium où Mary devait prononcer son discours d'ouverture : près de mille femmes y étaient déjà entassées. J'avais prévu d'écouter la conférence, puis de discuter avec Mary au cours de la séance de signatures subséquente. Malheureusement, toutes les autres participantes avaient eu la même idée.

Je n'avais pas le temps d'attendre longtemps en file, car je devais préparer mon atelier de l'après-midi ; bientôt, j'ai dû retourner à la salle qui m'était assignée. J'étais déçue, mais je gardais espoir. Tout était encore possible : le colloque durait deux jours et il en restait un. En m'endormant ce soir-là, je me suis creusé la cervelle pour essayer de trouver le moyen de dire au moins deux mots à Mary.

Quelques heures après avoir sombré dans le sommeil, l'avertisseur d'incendie de l'hôtel s'est déclenché. Sautant hors du lit, j'ai enfilé ma veste de tailleur par-dessus mon pyjama et attrapé mon sac à main et mon matériel — comme si j'allais vraiment pouvoir donner mon atelier en pyjama de flanelle à motifs de lapins —, avant de courir dans le hall, dévaler l'escalier et sortir de l'hôtel.

Une fois dehors, j'ai vu que les pompiers étaient déjà sur place. Regardant autour de moi, je m'amusais de notre allure ridicule avec nos cheveux ébouriffés en tous sens et notre étrange collection de vêtements de nuit, quand j'ai remarqué Mary Higgins Clark, seule près du camion d'incendie. J'ai compris sur-le-champ que c'était le moment ou jamais, aussi me suis-je approchée pour me présenter.

Tandis que nous conversions, j'ai songé : *Super chouette !
Une soirée pyjama avec Mary Higgins Clark !* Une demi-heure
plus tard, un pompier a interrompu notre conversation
pour nous informer que nous pouvions rentrer dans l'hôtel, tout danger étant écarté. La reine du suspense s'est
tournée vers moi et, le regard espiègle, a lancé : « Ah, vraiment ? » Je vous assure que je chérirai cette expérience le
reste de ma vie !

Et *vous*, qu'espérez-vous ? Que ce soit converser avec
une personne que vous admirez, survivre à une situation
potentiellement fatale, ou quoi que ce soit d'autre, n'abandonnez jamais ! Ne vous dites jamais : *C'est sans espoir* ou
Je suis sans espoir. N'abandonnez jamais vos rêves. Ne vous
laissez jamais tomber. Dès aujourd'hui, décidez que vous
allez garder espoir en dépit des déceptions, que vous allez
persévérer en dépit des obstacles et que vous allez croire
que tout est possible jusqu'à ce que vos rêves se réalisent.
Comme je l'ai découvert au beau milieu de la nuit, près
d'un camion d'incendie garé devant un hôtel, c'est souvent
au moment le plus bizarre — et quand vous vous en attendez le moins — que vos désirs deviennent réalité.

Qu'en est-il de votre rêve de cesser de vous faire du
souci ? Vous en avez fait du chemin ! Vous avez appris à
contester vos hypothèses, à agir sur ce que vous pouvez
contrôler, à lâcher prise sur ce qui échappe à votre contrôle
et à maîtriser vos pensées. C'est maintenant le temps de
passer au dernier chapitre et d'intégrer tous ces éléments.

Introduction

Un souci à la fois, une étape à la fois,
comme par magie, vous calmerez votre esprit.

On dit souvent que si le monde change, ce sera une personne à la fois. De la même manière, vous pouvez transformer vos angoisses en sérénité, un souci à la fois, une étape à la fois. Pour vous rendre la transition plus facile, j'ai inclus dans cette partie du livre des fiches de suivi des transformations. Leur présentation est conviviale et leur organisation suit le processus C.A.L.M., ce qui vous permettra d'appliquer rapidement les stratégies que vous connaissez en fonction de la situation.

Les fiches portent sur les quatre étapes du processus C.A.L.M. (ci-dessous) et sont présentées en ordre. À chaque étape, vous devez répondre à une série de questions qui vous aideront à :

1. contester vos hypothèses ;

2. vous tourner vers les solutions et à acquérir l'assurance et le courage nécessaires pour agir sur ce que vous pouvez contrôler ;

3. lâcher prise sur ce qui échappe à votre contrôle, grâce aux stratégies de lâcher-prise énumérées dans une liste facile à consulter ;

4. maîtriser vos pensées en les faisant basculer de l'auto-accusation au discours nourricier et, ce faisant, cesser d'être anxieuse et devenir audacieuse.

Quand vous sentez l'inquiétude vous saisir, prenez les fiches de suivi des transformations du début et franchissez les étapes. Il faut bien comprendre que vous n'aurez pas toujours besoin de toutes les compléter. En fait, vous aurez peut-être juste à remettre vos hypothèses en question pour retrouver votre quiétude. Peut-être la conception d'un plan d'action et sa mise en œuvre seront-elles suffisantes pour étouffer votre anxiété dans l'œuf. Dans d'autres situations, la combinaison de deux ou trois techniques résoudra le problème. Lisez simplement chaque étape et appliquez celles qui vous semblent convenir à la situation.

Répondre par écrit aux questions est plus profitable que se contenter de le faire mentalement. Chassez vos angoisses en les couchant sur papier : c'est une habitude qui vous sera très salutaire. Il est beaucoup plus facile d'identifier ses pensées et ses sentiments et de s'en occuper quand on les écrit.

Au début, vous devrez peut-être vous servir des fiches de suivi chaque jour. Peut-être ne retrouverez-vous votre calme que brièvement avant qu'une autre peur ne vous assaille. Ce n'est pas grave. Prenez le temps de retrouver votre sérénité. Plus vous utiliserez le processus souvent, plus le sentiment de calme se prolongera et plus vos épisodes d'angoisse s'espaceront. Au moment opportun, vous prendrez conscience que l'anxiété qui vous dévorait ne pointe plus son nez qu'occasionnellement. Dans ces cas-là, vous pourrez revenir aux fiches de suivi pour retrouver rapidement votre sérénité.

Vous serez agréablement surprise de constater à quel point les fiches de suivi sont efficaces et simples à utiliser quand il s'agit de remettre de l'ordre dans votre esprit. J'y ai encore recours quand je vois poindre un souci et je suis toujours étonnée de constater à quel point elles m'aident à retrouver rapidement ma quiétude. Adoptez-les et faites-en vos modèles pour vivre sans angoisse : vous découvrirez qu'en fonctionnant ainsi, soit en considérant un souci à la fois, une étape à la fois, vous calmerez l'agitation de votre esprit.

Fiches de suivi
des transformations

Pour retrouver la sérénité : contestez vos hypothèses,
agissez sur ce que vous pouvez contrôler, lâchez prise sur ce
qui échappe à votre contrôle, et maîtrisez vos pensées.

Contestez vos hypothèses

- *Quelle(s) hypothèse(s) formulez-vous ?*

- *À qui pouvez-vous parler pour avoir un autre point de vue ?* N'oubliez pas de choisir une personne qui vous donnera un point de vue réaliste, honnête et optimiste.

- *Est-il probable que ce qui vous inquiète se produise ?* Si c'est le cas, passez à la deuxième étape du processus.

- *Êtes-vous affamée, crevée, en période d'ovulation (hormones) ou perturbée (bouleversée) ?* Si c'est le cas, prenez conscience que c'est peut-être la cause de vos pensées ou de votre ressenti ; suivez les suggestions proposées.

- *De quoi d'autre pourrait-il s'agir ?* Pour vous libérer de vos angoisses, votre meilleure stratégie défensive consiste à vous occuper uniquement des faits. Entre l'instant présent et le moment où vous obtiendrez les données dont vous avez besoin, faites des suppositions positives par rapport à la situation afin de ramener le calme en vous.

- *Est-ce l'inquiétude ou l'intuition ?* N'oubliez pas que l'inquiétude commence par une pensée, alors que l'intuition se manifeste par une sensation. Suivez votre intuition plutôt que vos peurs.

- *Qu'avez-vous peur de perdre ?* Si vous avez de la difficulté à remettre vos suppositions en question, assurez-vous que vous abordez bien la bonne question en identifiant ce que vous avez peur de perdre.

Agissez sur ce que vous pouvez contrôler

- *Cette inquiétude vous pousse-t-elle à agir ?* Si c'est le cas, élaborez un plan d'action par écrit.

- *Agir ainsi en vaut-il la peine ?* Si c'est le cas, affirmez que vous pouvez réussir et passez à l'action.

- *La peur d'avoir l'air ridicule vous empêche-t-elle d'agir ?* N'oubliez pas que ce que vous regretterez le plus, ce n'est pas d'avoir eu l'air ridicule, c'est de ne pas avoir agi du tout.

- *La peur de commettre une erreur vous empêche-t-elle d'agir ?* Pour dépasser cette inquiétude, visez le succès plutôt que la perfection.

- *Vos doutes quant à vos possibilités vous empêchent-ils d'agir ?* Plutôt que de vous concentrer sur ce que vous êtes incapable de faire, concentrez-vous sur ce que vous *pouvez* accomplir. Ayez foi en vous-même ; croyez que vous pouvez faire ce que vous avez décidé de faire. Combinez votre croyance et vos actions, et n'abandonnez jamais.

- *Pouvez-vous agir pour influencer ce qui échappe à votre contrôle, le résultat et/ou les conséquences de la situation sur votre existence ?* Si c'est le cas, agissez.

- *Agissez-vous parce que c'est ce qui vous convient ou parce que vous essayez de plaire à autrui ?* Si la peur de la critique ou celle de déplaire vous empêche de faire ce que vous savez juste pour vous, pensez à évaluer la source, à accorder du poids à l'opinion que vous avez de vous-même, et à élargir votre vision de la situation.

- *Ce geste est-il en accord avec votre définition de l'intégrité ?* Si vous avez manqué à l'intégrité, dans la mesure du possible, faites amende honorable. Si c'est impossible, déterminez quelles leçons vous devez tirer de la situation et réfléchissez à ce que vous ferez différemment si elle se reproduit.

- *Comment vous sentirez-vous demain, la semaine prochaine, le mois prochain ou l'année prochaine si vous n'allez pas jusqu'au bout ?* Souvenez-vous que le chagrin du regret pèse plus lourd que la souffrance d'aller jusqu'au bout.

Lâchez prise sur ce qui échappe à votre contrôle

Quelle technique vous sera la plus profitable pour lâcher prise ? Essayez une ou plusieurs des stratégies suivantes :

- Allez marcher.
- Ayez recours à l'aroma-thérapie.
- Bercez-vous.
- Buvez de l'eau.
- Concentrez-vous sur l'essentiel.
- Concentrez-vous sur vos réalisations.
- Consommez des aliments riches en vitamines B.
- Créez une œuvre d'art.
- Croyez que tout finira par s'arranger.
- Décidez d'une date où vous ferez une activité aimée.
- Découvrez vos dons et faites-les fructifier.
- Demandez de l'aide.
- Désencombrez.
- Détendez votre mâchoire.
- Dites non.
- Divisez la charge.
- Donnez du temps.
- Dormez d'un sommeil réparateur.
- Écoutez de la musique.
- Éliminez les termes anxiogènes de votre vocabulaire.
- Énoncez des affirma-tions positives.

- Essayez quelque chose qui vous attire.
- Faites *comme si*.
- Faites corps avec la nature.
- Faites de l'exercice.
- Faites un câlin.
- Faites votre éloge.
- Faites-vous confiance.
- Faites-vous masser.
- Faites une bonne action
- Fréquentez des gens positifs.
- Lisez.
- Méditez.
- Ne regardez pas les informations.
- Notez vos angoisses.
- Occupez-vous.
- Parlez à un(e) ami(e).
- Passez du temps avec un animal de compagnie.
- Planifiez des « périodes d'angoisse ».
- Prenez soin de vous.
- Prêtez attention à vos sens.
- Priez.
- Ralentissez.
- Recherchez la lumière.
- Réconciliez-vous avec votre passé.
- Réduisez votre consom-mation de caféine.

- Respirez.
- Riez de vos soucis.
- Soyez aventureuse.

- Soyez reconnaissante.
- Soyez vous-même.
- Visualisez votre réussite.

Maîtrisez vos pensées

- *Avez-vous accepté la responsabilité de votre état d'esprit ?* S'inquiéter est un choix. Choisissez de vous libérer de votre inquiétude et engagez-vous à vivre dans la sérénité.

- *Quelles sont vos croyances limitatives ?* Déterminez quelles sont vos croyances en complétant les phrases suivantes :

« Je serais aimable si je … »
« Je serais complète si je … »
« Je serais méritante si je … »
« Je serais désirée si je … »
« Je serais adéquate si je … »
« Je me sentirais bien si je … »

Ensuite, écrivez le mot *opinion* à côté de chacune de ces phrases. Le fait est que vous êtes *déjà* aimable, complète, méritante, désirable, adéquate et parfaite telle que vous êtes.

- *Quelles étiquettes négatives utilisez-vous pour vous décrire ?* Complétez la phrase : *Je suis…* Formulez trois phrases positives pour chaque étiquette négative que vous vous attribuez.

- *Par rapport à la situation qui vous inquiète, est-ce que vous exagérez ; est-ce que vous ne faites pas une tempête dans un verre d'eau avec des pensées* tout ou rien *?* Écrivez ce qui vous inquiète, puis remplacez les mots et les phrases *tout ou rien* par des vérités plus justes.

- *Vous apitoyez-vous sur votre sort ?* Si vous avez vécu une situation « injuste », essayez de réécrire le scénario et croyez que toute expérience sert votre bien au bout du compte.

- *Vous sentez-vous coupable ?* Si c'est le cas, libérez-vous de la culpabilité en vous posant les questions suivantes :

  1. « Est-ce que cette phrase ou cette croyance est parfaitement juste ? »
  2. « Est-ce que je fais de mon mieux ? »
  3. « Est-ce que ce que je fais convient à la situation ? »
  4. « Que puis-je faire pour améliorer la situation ? »
  5. « Qu'ai-je appris et que ferai-je différemment la prochaine fois ? »

- *Votre perfectionnisme vous nuit-il ?* Si c'est le cas, affirmez ce qui suit :

Je suis à la hauteur.
Je suis entière et parfaite telle que je suis.
Je m'aime.

- *Jugez-vous les autres sévèrement ?* Si c'est le cas, questionnez-vous :

    1. « Y aurait-il des faits qui m'échappent en ce qui les concerne et qui pourraient m'aider à comprendre leur point de vue ? »
    2. « Qu'est-ce que cela me pousse à reconnaître à propos de mes choix ? »
    3. « Par quels changements puis-je améliorer ma situation ?»

- *Vous concentrez-vous sur ce qui pourrait mal tourner plutôt que d'insister sur l'aspect positif de la situation ?* Si c'est le cas, questionnez-vous :

    1. « Qu'est-ce qui pourrait bien tourner ? »
    2. « Quel est l'avantage de cette situation ? »
    3. « Que me reste-t-il ? »

- *Nourrissez-vous le « train des suppositions » ?* Si c'est le cas, questionnez-vous :

    1. « Qu'est-ce qui *est maintenant* ? »
    2. « Est-ce que cela aura encore de l'importance dans un an ? »

Et ensuite, affirmez : *Je vais passer au travers !*

- *Êtes-vous désespérée ?* Si c'est le cas, affirmez ceci :

Je garde espoir.
Tout est possible.
Je crois à toutes les possibilités.

Post-face

Et voilà ! Le processus C.A.L.M. n'est plus seulement pour vous une succession de mots courant sur les pages d'un livre : il fait maintenant partie de vos pensées. Vous avez acquis les habiletés nécessaires pour faire taire vos angoisses, éliminer vos pensées limitatives et accroître votre sérénité. Vous avez découvert des stratégies grâce auxquelles vous pouvez dissiper vos inquiétudes *sur-le-champ* et stopper le « train des suppositions ». Vous avez appris comment transformer vos peurs en énergie active et comment cesser de vous inquiéter de l'opinion d'autrui. Vous savez maintenant comment échapper au perfectionnisme, comment faire renaître votre enthousiasme pour la vie et comment retrouver la sérénité.

Qu'est-ce que cela signifie ? Vous possédez maintenant une clé grâce à laquelle vous pouvez vite reprendre contact avec la sérénité que vous désirez et méritez en tout temps. Vous avez les outils pour contester vos hypothèses, agir sur ce que vous pouvez contrôler, lâcher prise sur ce qui échappe à votre contrôle, maîtriser vos pensées et évacuer votre angoisse dès qu'elle se manifeste. Vous avez tout ce qu'il faut pour avancer dans la vie, détendue, assurée et joyeuse.

Je vous encourage à faire en sorte de maintenir votre sérénité nouvellement acquise. Appliquez souvent les stratégies, revenez-y encore et encore jusqu'à ce qu'elles fassent partie de vous. Partagez-les avec ceux et celles dans votre entourage qui luttent contre l'angoisse — votre conjoint, vos enfants, vos frères et sœurs, vos parents, vos amis et amies intimes, de même que vos connaissances. Ils pourront ainsi goûter, eux aussi, à la sérénité qui est maintenant la vôtre.

Finalement, je vous encourage à embrasser votre vie et à célébrer vos réalisations. Jouissez du bonheur et de la profonde satisfaction d'être qui vous êtes aujourd'hui, et ne perdez pas de vue le potentiel et l'abondance illimités qui vous attendent. C'est votre nouvelle route : une vie sans angoisse. Profitez de la vie, compagne de lutte, et surtout jouissez de votre sérénité.

Remerciements

Je souhaite d'abord et avant tout remercier mon conjoint, Terry. Je te suis profondément reconnaissante de ton soutien indéfectible, de ta patience, de tes encouragements, de ta confiance et surtout, de ton amour. Tu es un homme remarquable ; je t'aime et je te respecte de tout mon cœur.

Merci à mes belles filles au grand cœur, Lindsay et Brianna. Vous apportez à ma vie amour, joie, sagesse, inspiration, rires et magie. Je vous en remercie ! N'oubliez jamais à quel point vous êtes spéciales et combien vous êtes aimées.

Merci à ma famille. Vous avez tous contribué aux leçons et aux expériences qui ont fait de moi celle que je suis aujourd'hui et ma gratitude s'étend à vous tous. Ma plus profonde reconnaissance aux personnes suivantes (par ordre alphabétique) : Jim et Joan Allcock, Courtney Forbes, Murray et Betty Forbes, Murray et Laura Forbes, Bob et Jo-Anne Kite, Marion Kite, Deanna and Ted Thomas, Erin Thomas and Nicholas Thomas. Je remercie également les familles Forbes, Geris, Marek et Neabel. Je vous aime tous et toutes !

Mes plus sincères remerciements à mes amis. À Melissa Annan : Tu es une femme étonnante et je suis très chanceuse de te compter parmi mes amies. À Dan Carter et Paula Beebe : Vous êtes des réalisateurs fantastiques et des amis encore plus formidables ; je suis bénie de vous avoir près de moi. À Burt Henderson : Tu es mon entraîneur personnel depuis près de dix ans et, au fil des ans, ton intégrité, ton amitié et ton soutien affectif ont beaucoup contribué à transformer ma vision de moi et du monde. Merci ! À Doug et Lisa McBride : Votre amitié m'est précieuse et je veux que vous sachiez à quel point vous et vos deux incroyables filles comptez pour moi. À Lisa : Même si tu as passé peu de temps sur cette terre, tu as eu une influence profonde et magnifique sur ma vie. Merci ! À Deanna Thomas : Je te remercie encore une fois parce que tu es tellement plus qu'une sœur : tu es ma belle, mon incroyable amie !

Je tiens à manifester ma profonde estime aux personnes qui ont été mes mentors à différents stades de ma carrière, soit Kathleen O'Brien, Kai Rambow, Michael Smythe, Jason Stoll et Christie Ward.

Aux personnes qui m'ont aidée durant mon aventure dans le domaine de la publication. À Crystal Andrus : Vous êtes sans contredit… *tout simplement femme* ! J'admire votre force et votre passion et je vous remercie de votre amitié ! À Nicholas Boothman : Je vous remercie de votre soutien et de vos conseils ; ils ont été plus appréciés que vous ne sauriez le croire.

Un grand merci à ma formidable équipe de révision : Katherine Coy, Jill Kramer, Shannon Littrell, Chris Morris, Bill Steinburg et Jessica Vermooten.

Finalement, toute ma gratitude et un merci particulier à Reid Tracy de Hay House : Merci d'avoir cru en moi et d'avoir fait en sorte que ce livre se retrouve entre les mains de femmes qui ont besoin de cesser de se faire du souci et qui méritent de goûter à la sérénité.

À propos de l'auteure

Denise Marek est reconnue comme *la* « spécialiste en gestion de l'anxiété ». Conférencière reçue à l'étranger, personnalité de la télévision, elle a aidé des milliers de femmes à transformer leur tendance à l'inquiétude en paix intérieure. En juin 2001, Denise a reçu un prix très convoité, le *Toastmasters International Accredited Speaker Award*, pour son professionnalisme et ses réalisations remarquables à titre de conférencière. Elle vit en Ontario, au Canada, avec son conjoint Terry et leurs deux filles. Pour de plus amples renseignements, visitez son site Internet à : **www.denisemarek.com**.

Pour obtenir une copie de notre catalogue :

Éditions AdA Inc.
1385, boul. Lionel-Boulet, Varennes, Québec, J3X 1P7
Télécopieur : (450) 929-0220
info@ada-inc.com
www.ada-inc.com

Pour l'Europe :

France : D.G. Diffusion Tél.: 05.61.00.09.99
Belgique : D.G. Diffusion Tél.: 05.61.00.09.99
Suisse : Transat Tél.: 23.42.77.40

www.AdA-inc.com
info@AdA-inc.com